...ąt
i królów polskich
w latach 1173–1333

kolor niebieski – przedstawiciel dynastii Piastów

Mieszko III Stary
1173–1177, 1195–1202

Kazimierz II Sprawiedliwy
1177–1194

Leszek Biały
1202–1227

Władysław III Laskonogi
1228–1231

Henryk I Brodaty
1231–1238

Konrad I Mazowiecki
1241–1243

Bolesław V Wstydliwy
1243–1279

Leszek Czarny
1279–1288

Przemysł II
1295–1296

Władysław I Łokietek
1305–1333

Witold Bobiński

Historia Polski

Podręcznik dla szkół polonijnych
Klasa VII – od niewoli do niepodległego państwa

Witold Bobiński

Historia Polski

Podręcznik dla szkół polonijnych
Klasa VII – od niewoli do niepodległego państwa

TOGRA
OFICYNA
WYDAWNICZA

Redakcja
Piotr Rabiej

Konsultacja merytoryczna
Jolanta Tatara

Korekta
Kacper Śledziński

Konsultacja językowa
Anna Skucińska

Projekt graficzny
lookStudio

Projekt okładki
Jacek Orzechowski

Mapy
Jacek Orzechowski, Archiwum Fogry

Zdjęcia
Muzeum Narodowe w Warszawie, The Polish Museum of America w Chicago, Archiwum Fogry

Okładka
Bitwa pod Olszynką Grochowską, mal. Wojciech Kossak

Wyklejki
Poczet królów i książąt polskich wg Jana Matejki

Dziękujemy The Polish Museum of America w Chicago za udostępnienie ilustracji wykorzystanych w tym wydaniu.

ISBN 978-83-60188-03-3

OFICYNA WYDAWNICZA
KRAKÓW, ul. Marszałka Józefa Piłsudskiego 19

© by Fogra Oficyna Wydawnicza, Kraków 2005

Druk i oprawa: Białostockie Zakłady Graficzne S.A.

Spis treści

Drodzy Przyjaciele!

Już od dwóch lat wędrujemy razem przez dzieje naszego kraju. Droga naszej wędrówki wiodła ostatnio przez okres świetności Rzeczypospolitej szlacheckiej oraz czas jej kłopotów i upadku. W kolejnej, trzeciej już książce, będziemy poznawać losy Polaków na przestrzeni XIX i początków XX wieku. Dowiemy się, jak organizował swe życie naród przez długi czas pozbawiony swojego państwa. Będziemy towarzyszyć Polakom, którzy w wielu miejscach na całym świecie poszukiwali nowego życia i nowej ojczyzny, a także tym, którzy nieustannie dążyli do odbudowy własnego, niepodległego państwa.

Dziś nie wyobrażamy sobie świata bez takich właśnie, wolnych i niepodległych państw. W wieku XIX wiele narodów Europy musiało z całym poświęceniem walczyć o prawo do posiadania własnej ojczyzny. Do takich narodów należeli Polacy, dla których odzyskanie wolności stało się wówczas zadaniem najważniejszym. W jaki sposób starali się to zadanie realizować? – to jest właśnie tematem trzeciej części naszej opowieści.

Dla Was, którzy mieszkacie z dala od ojczyzny Waszych Przodków, ta książka może okazać się szczególnie ciekawa i ważna. Przeczytacie w niej o początkach polskiego osadnictwa w Ameryce i innych częściach świata, poznacie dzieje tworzenia się tej wielkiej, światowej zbiorowości, którą dziś nazywamy Polonią.

Jak poprzednio, zapraszamy Was nie tylko do czytania tekstów, ale także uważnego przyglądania się ilustracjom. Wiele z nich udostępniło nam Muzeum Polskie w Chicago. Być może na niektórych fotografiach odnajdziecie znajome Wam miejsca, znane z opowieści lub ze słyszenia postacie. Po raz kolejny dziękujemy też sponsorom, bez których tworzenie i przekazanie Wam tej książki byłoby po prostu niemożliwe.

Autor, Wydawca i Redaktorzy

„Jeszcze Polska nie zginęła!", czyli Polacy walczą u boku Napoleona

Legiony Dąbrowskiego

W **1795 roku** trzy sąsiednie mocarstwa – **Rosja, Prusy** i **Austria** podzieliły Rzeczypospolitą na części, czyli zajęły całe jej terytorium. Zaborcy ustalili, że w przyszłości nie będą nawet używać nazwy Polski. Zagrozili też wojną każdemu państwu, które chciałoby odbudować zniszczone państwo polskie. Z krajów europejskich tylko Turcja nie przestraszyła się tych gróźb, a jej władcy z życzliwością wspominali Polskę.

Polacy nie pogodzili się z likwidacją swojego państwa. Szukali pomocy, gdzie się tylko dało i w końcu znaleźli ją w ogarniętej rewolucją Francji. Francuzi toczyli w tym czasie wiele wojen, a najcięższa z nich rozgrywała się we Włoszech. Przeciw Austriakom, którzy wtedy opanowali Włochy, walczył tam bardzo zdolny francuski generał **Napoleon Bonaparte**. Podczas walk jego wojska wzięły wielu jeńców, wśród których było wielu Polaków siłą wcielonych do austriackiego wojska. Generał Jan Henryk Dąbrowski zaproponował, że wspomoże Napoleona w walkach, tworząc z tych jeńców wojsko. Obiecał, że liczni Polacy z kraju przybędą do oddziałów Napoleona. Domagał się jedynie polskich orłów na sztandarach i obietnicy, że Polacy będą mogli powrócić do Ojczyzny, gdy rozpocznie się tam powstanie przeciw zaborcom.

Napoleon był jednym z największych wodzów w dziejach świata. Nazywano go „bogiem wojny", a jego przeciwnicy obawiali się geniuszu wojskowego cesarza Francuzów. Na obrazie Napoleon został przedstawiony w czasie zwycięskiej bitwy z Austriakami pod Wagram w 1809 roku.

Napoleon niechętnie zgodził się na taki pomysł, bo poparcie dla Polaków oznaczało kłopoty. Trudniej byłoby mu zawrzeć pokój z Austrią, nawet po zwycięskiej wojnie. Ale możliwość pozbycia się wielu jeńców oraz obietnica 8 tysięcy dobrych żołnierzy przekonały go.

W ten sposób już **w 1797 roku**, dwa lata po zniknięciu Polski z mapy Europy, znów ruszyła do walki armia polska, nazwana „**Legionami Dąbrowskiego**". Szybko się powiększała i w 1801 roku liczyła już ponad 12 tysięcy żołnierzy. Żołnierze ci wiedzieli, że walczą o kraj, o którym Europa zgodziła się zapomnieć. Ich tęsknoty i marzenia wyrażała pieśń napisana w 1797 roku przez poetę **Józefa Wybickiego** nazwana *Mazurkiem Dąbrowskiego*. Powstała pod wpływem radości, jaką odczuwał Wybicki na widok maszerujących polskich żołnierzy. Pieśń ta po wielu zmianach, które dostosowały ją do współczesnej polszczyzny stała się w końcu polskim hymnem narodowym w 1926 roku.

Józef Wybicki był autorem słów *Mazurka Dąbrowskiego*, które zna dzisiaj każdy Polak.

Józef Wybicki,
Pieśń Legionów Polskich
we Włoszech, 1797 rok
(według autografu J. Wybickiego)

Jeszcze Polska nie umarła,
Kiedy my żyjemy,
Co nam obca moc wydarła,
Szablą odbijemy.

Marsz, marsz Dąbrowski
Do Polski z ziemi włoski
Za Twoim przewodem
Złączem się z narodem.

Jak Czarnecki do Poznania
Wracał się przez morze,
Dla Ojczyzny ratowania
Po szwedzkim rozbiorze.

Marsz, marsz etc.

Przejdziem Wisłę, przejdziem Wartę,
Będziem Polakami,
Dał nam przykład Bonaparte,
Jak zwyciężać mamy.

Marsz, marsz etc.

Niemiec, Moskal nie osiędzie,
Gdy jąwszy pałasza,
Hasłem wszystkich zgoda będzie
I Ojczyzna nasza.

Marsz, marsz etc.

Mazurek Dąbrowskiego,
wersja uznana w 1926 roku
za polski hymn narodowy

Jeszcze Polska nie zginęła,
Póki my żyjemy,
Co nam obca przemoc wzięła,
Szablą odbierzemy.

Marsz, marsz Dąbrowski,
Z ziemi włoskiej do Polski,
Za Twoim przewodem
Złączym się z narodem.

Przejdziem Wisłę, przejdziem Wartę
Będziem Polakami,
Dał nam przykład Bonaparte,
Jak zwyciężać mamy.

Marsz, marsz...

Jak Czarniecki do Poznania
Po szwedzkim zaborze,
Dla ojczyzny ratowania
Wrócim się przez morze.

Marsz, marsz...

Już tam ojciec do swej Basi
Mówi zapłakany,
Słuchaj jeno, pono nasi
Biją w tarabany

Marsz, marsz...

Już tam ojciec do swej Basi,
Mówi zapłakany:
Słuchaj jeno, pono nasi
Biją w tarabany.

Marsz, marsz etc.

Na to wszystkich jedne głosy:
Dosyć tej niewoli.
Mamy racławickie kosy,
Kościuszkę Bóg pozwoli.

Marsz, marsz etc.

Polscy legioniści przed katedrą w Mediolanie. Większość walk polscy żołnierze stoczyli właśnie we Włoszech.

Na bojowym szlaku Legionów

Legiony Dąbrowskiego dzielnie walczyły we Włoszech. Udział Legionów w bitwie pod Hohenlinden (1800) pomógł Francji pokonać Austrię. Napoleon, który już od trzech lat był nie tylko generałem, ale i głową francuskiego państwa, chciał

Polakom wysłanym na San Domingo bardzo żal było czarnych niewolników i nie chcieli z nimi walczyć, a jeńców traktowali łagodnie. Dlatego kiedy haitańczycy zwyciężyli wojska francuskie, Polakom dali prawo do pozostania na miejscu lub powrotu do Europy. Stąd do dziś na Haiti można spotkać polskie nazwiska. Wojsko polskie pojawiło się znów na Haiti wraz z wojskami amerykańskimi pod koniec XX wieku, by bronić tamtejszej demokracji.

Polscy legioniści podczas walk na San Domingo (Haiti) w latach 1802–1803.

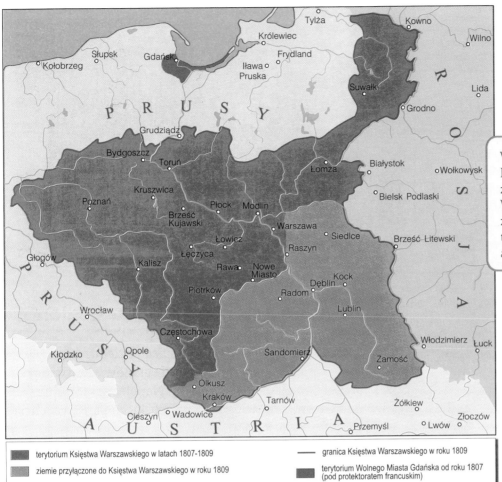

terytorium Księstwa Warszawskiego w latach 1807-1809

ziemie przyłączone do Księstwa Warszawskiego w roku 1809

—— granica Księstwa Warszawskiego w roku 1809

terytorium Wolnego Miasta Gdańska od roku 1807 (pod protektoratem francuskim)

W skład utworzonego w 1807 roku Księstwa Warszawskiego weszły ziemie II i III zaboru pruskiego. W 1809 roku, po wygranej wojnie z Austrią, do księstwa przyłączono także terytorium III zaboru austriackiego.

Obraz Marcello Bacciarellego przedstawia nadanie konstytucji Księstwa Warszawskiego przez Napoleona. W rzeczywistości Napoleon podyktował konstytucję swojemu sekretarzowi, a potem wyjechał, zaś sekretarz wręczył ją Polakom. Wyjaśnij, dlaczego malarz przedstawił tę scenę inaczej? (Muzeum Narodowe w Warszawie).

teraz zgody z zaborcami Polski. Polskie wojsko mogło mu w tym tylko przeszkadzać. Dlatego Napoleon na wyraźne żądanie Austrii i Rosji zrzekł się popierania „sprawy polskiej". Co w takim razie miał zrobić z legionistami? Część z nich odesłał do Włoch, gdzie służyli we włoskiej armii, część zaś wysłał na wyspę **San Domingo** (dziś Haiti), gdzie legionistów postawiono naprzeciw walczących o wolność niewolników. Polacy ginęli tam od tropikalnych chorób i wróciło ich zaledwie 300. W ten sposób Legiony właściwie przestały istnieć.

Jak powstało Księstwo Warszawskie

Polacy jeszcze raz zaufali Napoleonowi, bo tylko on mógł pokonać naszych zaborców. Gdy rozpoczął wojnę z Prusami, Polacy wywołali udane powstanie w Poznaniu, na tyłach wojsk pruskich i w 1806 roku sami wypędzili Prusaków z Wielkopolski. Polacy, którzy chcieli razem z Francuzami walczyć z zaborcami, szybko utworzyli prawie 30-tysięczną armię polską. W **1807 roku** Napoleon utworzył małe państwo – **Księstwo Warszawskie**. Polacy mogli w nim

używać własnego języka i mieli swoje wojsko. W ten sposób powstał wolny od zaborców skrawek Polski, który miał własną konstytucję (nadaną przez Napoleona), armię, rząd i nadzieję na pełną niepodległość. Polacy z wdzięczności nadal chętnie walczyli u boku Napoleona. Najcięższe walki toczyli w Hiszpanii. Było to dla nich trudne, bo chcieli przecież walczyć o wolność dla swojego kraju. Tymczasem w Hiszpanii służyli francuskim zdobywcom, którzy odmawiali tej wolności Hiszpanom.

Książę Józef Poniatowski broni Księstwa Warszawskiego

Nowe państwo musiało dwa lata po swym powstaniu zdać trudny egzamin – odeprzeć atak Austriaków. Nastąpił on w **1809 roku**, w chwili, gdy połowa wojska walczyła w Hiszpanii lub w Niemczech. Państwo ocalało dzięki ogromnemu talentowi ministra wojny i naczelnego wodza – **księcia Józefa Poniatowskiego**, znanego już z walki w obronie Konstytucji 3 Maja. Książę szybko zorganizował obronę i mimo, że miał przeciw sobie dwukrotnie silniejszego wroga zaczął wyzwalać ziemie polskie, będące pod zaborem austriackim. Zdezorientowani Austriacy nie wiedzieli, co mają robić – zdobywać Księstwo Warszawskie, czy walczyć w obronie Zamościa, Lublina i Krakowa. W wyniku walk utracili większość ziem zdobytych podczas trzeciego rozbioru Polski. Księstwo Warszawskie urosło, a wraz z nim nadzieje, że Rzeczpospolita odrodzi się z pomocą Napoleona.

Książę Józef Poniatowski był bratankiem ostatniego króla Polski Stanisława Augusta Poniatowskiego. Portret namalowany przez Franciszka Paderewskiego (Muzeum Narodowe w Warszawie).

Książę Józef Poniatowski był bardzo odważny. W decydującym momencie bitwy pod Raszynem (1809), kiedy polska obrona załamywała się, chwycił karabin zabitego żołnierza i osobiście poprowadził brawurowy atak. Natarcie zadecydowało o polskim zwycięstwie. Obraz namalowany przez Wojciecha Kossaka (Muzeum Narodowe w Warszawie).

Polska artyleria konna w czasie bitwy pod Raszynem w 1809 roku. Obraz Wojciecha Kossaka (Muzeum Wojska Polskiego w Warszawie).

Księstwo Warszawskie było państwem niewielkim, ale bardzo dobrze zorganizowanym. Wprowadzono nowe prawo zwane Kodeksem Napoleona, a wraz z nim cywilne śluby i rozwody. W niepamięć odeszły stare obyczaje sarmackie, a szlachta i mieszczanie wzorowali się na bardzo popularnej w Europie modzie francuskiej. Chłopi uzyskali wolność, ale nie otrzymali na własność ziemi, która należała do szlachty. Musieli nadal odrabiać pańszczyznę, choć mogli już opuścić zbyt srogiego szlachcica.

Książę Józef Poniatowski niezwykle wysoko cenił honor i dane słowo. W bitwie pod Lipskiem w 1813 roku, kiedy Napoleona zdradzili wszyscy sojusznicy i było pewne, że Francuzi zostaną pokonani, książę Józef pozostał wierny i do końca walczył po stronie Napoleona. Ważniejszy był dla niego honor niż własne życie. W czasie odwrotu z pola bitwy ciężko ranny książę Poniatowski zginął w nurtach rzeki Elstery. Obraz Horacego Verneta (Muzeum Narodowe w Krakowie).

Wierni do końca – upadek Napoleona

W **1812 roku** Napoleon ruszył na ostatniego z polskich zaborców – **Rosję**. Towarzyszyło mu 120 tysięcy żołnierzy, największa armia jaką kiedykolwiek zdołała zgromadzić Rzeczpospolita. Niestety, Napoleon stracił swą ogromną armię podczas surowej rosyjskiej zimy, a jego przegrana w wojnie z Rosją oznaczała kres istnienia Księstwa Warszawskiego już w 1813 roku. Warszawę zajęły wojska rosyjskie. Resztki polskiej armii cofały się wraz z Napoleonem. Polacy zostali wierni wodzowi Francuzów do końca. Bohaterski książę Józef Poniatowski zginął, osłaniając odwrót Napoleona. Na wygnaniu na wyspie Elbie towarzyszyli Napoleonowi polscy ułani. Walczyli u jego boku w ostatniej bitwie – pod Waterloo (1815). Na polu tej bitwy rozwiały się nadzieje na niepodległość Polski.

Obraz Wojciecha Kossaka *Wizja Napoleona* ukazuje entuzjazm polskich żołnierzy, jaki okazywali Napoleonowi (Muzeum Narodowe w Krakowie).

Minister wojny, książę Józef Poniatowski i żołnierze polscy cieszyli się ogromną popularnością w narodzie polskim. Każdy niemal młody człowiek chciał nosić mundur. Mundury zaś były szczególnie fantazyjne. Napoleon sam projektował uniformy swych żołnierzy, tak samo (wzorując się na francuskich) robił książę Józef.

Czapka oficera 1. pułku szwoleżerów polskich gwardii Napoleona.

Portret Jana Henryka Dąbrowskiego, twórcy legionów polskich we Włoszech (Muzeum Narodowe w Warszawie).

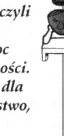
SŁOWNICZEK

jeniec (*prisoner of war*) – żołnierz wrogiej armii wzięty do niewoli

kawalerzysta (*cavalryman*) – żołnierz walczący na koniu

metr (*meter*) – miara długości przyjęta w Europie pod rządami Napoleona, stosowana do dziś (około 39 cali)

minister wojny (*Minister of War*) – najwyższy urzędnik zajmujący się wojną

odbudować (*to rebuilt*) – zbudować na nowo po zniszczeniu

pozbawiony (*deprived of something*) – osoba, która coś utraciła

skrawek (*patch*) – mały kawałek

sztandar (*banner*) – wojskowy znak, zwykle w postaci kawałka materiału przyczepionego do długiego drzewca

taraban (*big military drum*) – duży bęben wojskowy

terytorium (*territory*) – obszar ziemi ograniczony granicami

tropikalna choroba (*tropical disease*) – choroba, którą łatwo zarazić się w gorących krajach (np. febra, gorączka tropikalna, beri-beri, cholera)

ułan (*Polish cavalryman*) – polski lekki kawalerzysta, charakterystyczna była jego „rogata" czapka

umocniony (*fortified*) – wyposażony w fortyfikacje, przygotowany do obrony

wąwóz (*ravine, gorge*) – głęboka i długa wyrwa w ziemi

wyczyn (*feat*) – niecodzienne, wybitne osiągniecie

wygnanie (*exile*) – przymusowe odejście z rodzinnej ziemi, kraju

zaufać (*to trust*) – zawierzyć komuś, dać mu wiarę

zdezorientowany (*disorientated, confused*) – wprowadzony w błąd, zmylony

zdobywca (*conqueror*) – ktoś, kto zajmuje siłą jakiś teren pokonując przeciwnika

zgromadzić (*to gather, to assemble*) – zebrać wielu ludzi

życzliwość (*kindness*) – miła, przyjazna postawa wobec kogoś

ĆWICZENIA

1. Przeczytaj uważnie opis bitwy. Objaśnij trudne wyrazy z użyciem słowniczka. Porównaj tekst z przedstawionym poniżej obrazem. Opisz własnymi słowami, na czym polegała odwaga polskich kawalerzystów.

Opis bitwy

W Hiszpanii Napoleon chciał zdobyć Madryt, hiszpańską stolicę. Droga do niej prowadziła przez góry, dzielnie bronione przez Hiszpanów. Kolejne ataki tysięcy żołnierzy francuskich nie pomagały. Wszystkie zatrzymywano w umocnionym i dobrze przygotowanym do obrony wąwozie Somosierra. Atak na wąwóz był prawie niemożliwy, bo droga prowadziła stromo pod górę. Ustawione tam armaty nie pozwalały Francuzom przejść nawet kilku kroków. Przed wejściem do wąwozu leżały tysiące zabitych żołnierzy. Napoleon nie chciał się wycofać. Wiedział, że jeśli przegra walkę w dalekich górach Hiszpanii, przestaną się go bać europejscy królowie. Podjął decyzję, że będzie zdobywać wąwóz metr za metrem. Żeby zdobyć pierwsze armaty postanowił poświęcić lekką jazdę.
Stu dwudziestu polskich kawalerzystów czekało na rozkaz. Wiedzieli, że być może wszyscy zginą. Z poranną mgłą ruszyli do szaleńczego ataku. W pełnym galopie, zmuszając konie do strasznego wysiłku, wspięli się prawie pionową ścieżką pod górę. Hiszpańskie działa grzmiały, plując ogniem. Polscy jeźdźcy gnali do przodu i zdobywali kolejne armaty. Wielu z nich ginęło, ale pozostali nie mogli się cofnąć. Wreszcie w szaleńczym pędzie dojechali do końca wąwozu, tnąc szablami ostatnich hiszpańskich artylerzystów. Wąwóz został zdobyty. Droga na Madryt stała otworem. Czego nie osiągnęły tysiące Francuzów, dokonała garstka Polaków. Nawet Napoleon nie spodziewał się takiego zwycięstwa. Na zawsze zapamiętał ten wyczyn. Jeszcze siedem lat później, w ostatniej bitwie pod Waterloo towarzyszyli mu polscy jeźdźcy. I tylko oni go nie opuścili. Honor cenili bardziej niż życie.

....

....

....

....

2. Uważnie obejrzyj mapę Księstwa Warszawskiego. Napisz, które najważniejsze miasta Rzeczypospolitej znalazły się w jego granicach, a których zabrakło.

W granicach Księstwa Warszawskiego znalazły się:

....

....

....

....

W granicach Księstwa Warszawskiego zabrakło:

....

....

....

....

3. Wymień cechy polskich żołnierzy epoki napoleońskiej na podstawie opowiadania z ćwiczenia 1. Obejrzyj też ilustracje i opisz mundury Polaków. Użyj słów: *honoru, odwagi, szybkości, zdecydowania, rogate czapki (rogatywki), białym, czerwonym, granatowym, muszkiety, szable, dzielni.*

W czasach Napoleona Polacy mieli piękne mundury, w kolorach: .... ,

.... i .... Od Francuzów

odróżniały ich polskie .... Uzbrojeni byli podobnie jak inni

żołnierze z tych czasów – w .... i ....

Polscy żołnierze byli bardzo .... , wykonywali zadania

wymagające wielkiej .... ,

i .... Nie opuścili Napoleona, choć wszyscy inni go zdradzili.

Ich ważną cechą było poczucie ....

ĆWICZENIA

4. Połącz strzałkami daty i wydarzenia.

bitwa pod Waterloo	1797
utworzenie Księstwa Warszawskiego	1807
powołanie Legionów Dąbrowskiego	1809
wojna Księstwa Warszawskiego z Austrią	1812
wyprawa Napoleona na Moskwę	1815

5. Uzupełnij tekst, używając następujących słów: *państwo, Warszawskie, wierni, Polaków, nadziei, San Domingo.*

Polacy nigdy nie zaprzestali walki o własne ...... *państwo* .... Napoleon

wykorzystał chęć walki ...... *Polaków* ...... , choć nie zawsze był wobec nich

uczciwy. Największym nieszczęściem było wysłanie polskich legionów

na ...... *San Domingo* .... Nawet odbudowane państwo polskie nie nosiło

nazwy Polska, tylko Księstwo ...... *Warszawskie* .... Ale podczas ponad stu lat

rozbiorów nikt nie dał Polakom więcej ...... *nadziei* .... Dlatego Polacy

pozostali ...... *wierni* ...... Napoleonowi, nawet gdy opuścili go jego rodacy.

6. Przeczytaj uważnie tekst *Mazurka Dąbrowskiego* i podkreśl zmiany, które wprowadzono na przestrzeni ponad stu lat. Zastanów się, czy wszystkie wynikały tylko z potrzeb zmieniającego się języka. Podkreśl te zmiany, które zmieniły znaczenie zwrotek.

Królestwo Polskie, czyli Polska na łasce cara

Po klęsce Napoleona

Klęska Napoleona była wielkim sukcesem zaborców, zwłaszcza Rosji. Car rosyjski chciał przesunąć swe panowanie daleko na zachód. Chciał też uchodzić za lepszego władcę od Napoleona. Postanowił dać Polakom więcej, by chwalono go za to w całej Europie. Dlatego doprowadził **w 1815 roku** do powstania państwa zwanego **Królestwem Polskim**. Utworzono je z części ziem Księstwa Warszawskiego. W Królestwie Polskim rządził car rosyjski, który przyjął tytuł króla Polski. Państwo miało nadaną przez cara konstytucję, bardzo podobną do tej z czasów Księstwa Warszawskiego. Polacy mogli kształcić swe dzieci po polsku. Królestwo miało też dość silną armię, dowodzoną przez wielkiego księcia Konstantego, brata cara Rosji.

Konstytucja z łaski cara

Nasze państwo, które nie było w pełni wolne, szczyciło się posiadaniem konstytucji. Została ona napisana według najlepszych wzorów.

Car Aleksander I chciał, by w Europie mówiono o nim, że jest władcą dobrym i liberalnym. W rzeczywistości stworzył w Rosji bardzo okrutny system władzy.

W 1813 roku Rosjanie zajęli Księstwo Warszawskie. Oddali Prusakom część Wielkopolski z Poznaniem, a z reszty ziem utworzyli w 1815 roku Królestwo Polskie. Wokół Krakowa powstało małe państwo, Rzeczpospolita Krakowska, pozostające pod kontrolą trzech zaborców.

Tylża · Kowno · Królewiec · Wilno · Słupsk · Gdańsk · Kołobrzeg · Iława Pruska · Frydland · Suwałki · Lida · P R U S Y · Grodno · Grudziądz · Bydgoszcz · Toruń · Łomża · Białystok · Wołkowysk · Kruszwica · Poznań · Płock · Modlin · Bielsk Podlaski · Brześć Kujawski · Warszawa · Głogów · Łęczyca Łowicz · Siedlce · Brześć Litewski · Kalisz · Raszyn · Rawa · Nowe Miasto · Kock · Piotrków · Radom · Dęblin · Wrocław · Lublin · Częstochowa · Włodzimierz · Łuck · Kłodzko · Opole · Sandomierz · Zamość · Olkusz · Kraków · Tarnów · Żółkiew · Cieszyn · Wadowice · Złoczów · A U S T R I A · Przemyśl · Lwów · R O S J A · P R U S Y

terytorium Królestwa Polskiego w latach 1815-1864

terytorium Rzeczypospolitej Krakowskiej w latach 1815-1846

— — obszary dawnego Księstwa Warszawskiego utracone na rzecz Prus w roku 1815

Pałac Namiestnikowski w Warszawie był siedzibą namiestnika, czyli zastępcy cara w Polsce. Obecnie w pałacu tym mieści się rezydencja Prezydenta Polski.

Car ogłosił się królem Polski. Do niego należała władza, ale mógł ją przekazać komu chciał. Często władzę w Warszawie sprawował jego brat. Car pozwolił na to, by w Polsce istniał sejm. Ale sejm ten miał niewiele do powiedzenia. Kiedy car obraził się na posłów, kazał wielu z nich aresztować. Rosyjski władca nie przestrzegał też innych praw – kazał aresztować i wywozić Polaków bez wyroku sądu, poddawać torturom, a także ograniczać wolność słowa. Polacy wprawdzie mogli mówić, pisać i uczyć się po polsku, ale tylko tego, na co pozwolili Rosjanie. Ciągłe łamanie zasad konstytucji było codziennym zwyczajem carskich urzędników. Sądy zaś często wydawały niesprawiedliwe wyroki.

Zasady konstytucji łamał również cesarski brat, wielki książę Konstanty. Za nic miał prawo, a że był dowódcą armii Królestwa

Adam Czartoryski był jednym z twórców konstytucji. Ten utalentowany polityk widział przyszłość Polski we wspólnym działaniu z Rosją.

Żołnierze różnych formacji wojskowych z okresu Królestwa Polskiego.

Początkowo, mówiąc o narodzie nie myślano jeszcze o chłopach, którzy stanowili większość. Chłopi w Królestwie Polskim żyli jak dawniej – ziemia, na której pracowali nie była ich własnością, musieli też pracować na polu szlachcica.

Polskiego jego władza była wręcz nieograniczona. Bywał niesprawiedliwy i nerwowy, czasami znieważał posłów na sejm. Jednego dnia chwalił żołnierzy, następnego poniżał ich, a nawet własnoręcznie bił. Kazał śledzić, aresztować i torturować studentów, poetów i żołnierzy. Z drugiej strony chwalił się swą polską żoną. Jego zachowanie powodowało, że Polacy nie mogli dłużej znosić władzy carskiej i chcieli walki o wolność.

Polacy – narodziny nowoczesnego narodu

Nawet źle przestrzegana i łamana konstytucja przyczyniła się do narodzin nowoczesnego narodu. Dopuszczała do sejmu także mieszczan i ludzi wykształconych, nie tylko szlachtę. Obowiązywała 15 lat, czyli dłużej niż zawierająca podobne postanowienia Konstytucja 3 Maja, która działała tylko przez rok. Coraz więcej mieszkańców Polski czuło się więc obywatelami i Polakami. Część z nich uważała, że należy cieszyć się z tego, na co pozwalali Rosjanie: z polskich szkół, urzędów, teatrów i gazet, a nawet z polskiej armii pod rosyjskim dowództwem. Część jednak sądziła, że należy walczyć o pełną wolność. Wśród tych ostatnich byli pisarze, aktorzy, nauczyciele i żołnierze. Zakładali tajne związki, które miały walczyć o pełną niepodległość. Zarządzana przez Rosjan policja niszczyła te „spiski" bardzo szybko, ale wkrótce powstawały nowe. Ci, którzy brali w nich udział, nie mogli liczyć na to, że Ojczyzna wynagrodzi im walkę o wolność. Wśród Polaków tworzyło się przekonanie, że **miłość do Ojczyzny to obowiązek**, który często łączy się z cierpieniem. Najbliższa przyszłość potwierdziła tę prawdę. Władze rosyjskie surowo karały za udział w jakichkolwiek tajnych organizacjach. Za żarty na temat cara można było trafić na Sybir, za nocne spotkanie koleżeńskie uczniowie byli więzieni. Kochających wolność Polaków czekał ciężki los.

Stanisław Staszic, wybitny działacz jeszcze z czasów stanisławowskich, prowadził nadal liczne działania w celu unowocześnienia Polski. Stworzył początki polskiego przemysłu.

Siedziba Banku Polskiego w Warszawie. Ten bank odegrał ogromną rolę w budowie przemysłu w Królestwie Polskim.

Warszawa – Paryż północy

Pomimo surowych rządów carskich w Warszawie powstawało wiele pięknych budowli. Stawiano je w stylu, który nazywamy dziś **klasycyzmem**. Wizytówką Warszawy stały się takie budynki jak: Uniwersytet, Pałac Staszica, Belweder i wiele innych wspaniałych pałaców i kamienic. W mieście było dużo zieleni, więc goście odwiedzający polską stolicę zachwycali się jej wyglądem nazywając ją „Paryżem północy". Byli Polacy, którzy uważali, że najważniejszą sprawą jest wzmocnić naród na wypadek wojny o niepodległość. Zakładano nowe fabryki i warsztaty pracy. Sprowadzano nowoczesne maszyny z dalekiej Anglii, zakładano banki. Ale nie tylko o pieniądzach myślano wówczas w Warszawie. W stolicy działało wielu znanych pisarzy i innych artystów. To tu zaczynał pisać Juliusz Słowacki, tu pierwsze utwory komponował Fryderyk Chopin.

Walerian Łukasiński. Oficer wojska polskiego, stworzył jeden z pierwszych tajnych związków mających doprowadzić Polskę do pełnej niepodległości. Został surowo ukarany – przykuty do armaty i uwięziony.

Plac Bankowy w Warszawie. Jego zabudowa powstała właśnie w czasach Królestwa Polskiego. Obraz Wincentego Kasprzyckiego (Muzeum Historyczne Miasta Stołecznego Warszawy).

Pałac Mostowskich w Warszawie
był jednym z piękniejszych
w czasach Królestwa Polskiego.

ZAPAMIĘTAJ

Królestwo Polskie było państwem rządzonym przez rosyjskiego cara. Polakom pozwalano na naukę w języku polskim. Nastąpił wtedy szybki rozwój gospodarczy i kulturalny, ale władze rosyjskie nie przestrzegały prawa.

SŁOWNICZEK

areszt (*jail, custody*) – czasowe miejsce zamknięcia

car (*tzar*) – władca Rosji, cesarz

poddawać torturom (*to torture*) – dręczyć i męczyć kogoś poprzez zadawanie mu cielesnego bólu

spisek (*conspiracy*) – tajna umowa w celu podjęcia wspólnego działania przeciw komuś

Syberia (*Siberia*) – terytorium należące do Rosji, rzadko zamieszkane, leży w Azji za Uralem

zaborca (*invader, partitioner*) – państwo, które zabrało drugiemu część lub całość jego obszaru

zbrodniarz stanu (*public enemy*) – ktoś, kto popełnia poważne przestępstwo przeciw państwu

zezłościć się (*to be angry*) – być na kogoś złym

ĆWICZENIA

1. Przeczytaj uważnie fragment podręcznika o konstytucji Królestwa Polskiego. Następnie oceń, czy poniżej napisane zdania są prawdziwe, czy fałszywe. Wpisz obok każdego z nich słowo „prawda" lub słowo „fałsz".

Konstytucja dawała Polakom samodzielne państwo. ...~~prawda~~ ~~prawda~~ fałsz...

Polacy otrzymali prawo do używania języka polskiego w szkołach i urzędach. ...prawda...

Polacy mogli zajmować ważne stanowiska w Królestwie Polskim. ...~~fałsz~~ Prawda...

Władzę nad krajem sprawował Polak. ...fałsz...

2. Połącz imiona i nazwiska postaci z odpowiednimi określeniami z prawej kolumny.

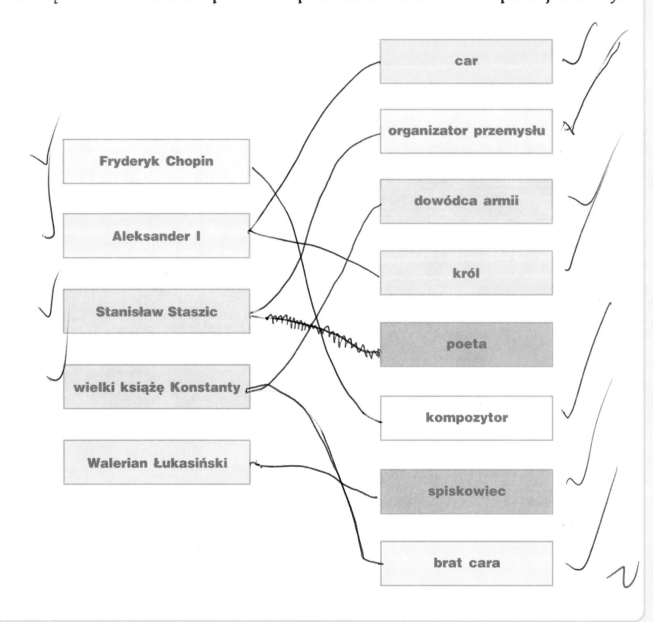

3. Wpisz wymienione niżej pojęcia do tabeli:

posiadanie konstytucji
łamanie prawa przez władze
własna armia
uniwersytet z polskim językiem
polskie szkoły
obecność rosyjskiej armii
powstanie przemysłu
prawo wyborcze dla mieszczan
brak samodzielności

Zalety Królestwa Polskiego	Wady Królestwa Polskiego

4. Przeczytaj uważnie fragment opisujący cechy i zachowanie wielkiego księcia Konstantego. Następnie uzupełnij tekst, używając wyrazów: *wybuch, powstawanie, zabawką, szaloną, wodzem.*

Brat cara był naczelnym ......wodzem...... polskiego wojska. Prawo było dla niego

tylko ......zabawką...... . Polacy uważali księcia za osobę ......szaloną...... .

Sposób, w jaki dowodził polską armią przyspieszył ......powstanie...... spisków

i ostatecznie spowodował ......wybuch...... powstania przeciw Rosjanom.

5. Na mapce konturowej ziem Księstwa Warszawskiego zaznacz zarys granic Królestwa Polskiego. Wypisz pod mapką nazwy tych części Polski, które należały do Księstwa Warszawskiego, a nie weszły później w skład Królestwa Polskiego.

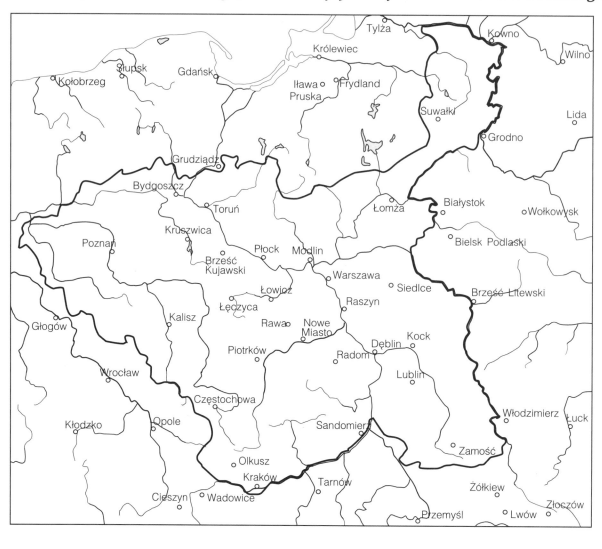

....

....

6. Ułóż poprawnie rozsypankę. Niżej wpisz nazwę dokumentu, z którego pochodzi to zdanie.

estwo skie Pol Król zawsze jest na skim połączone z stwem Rosyj Cesar

....

Dokument ten to ....

Walka Polaków o niepodległość – powstanie listopadowe i powstanie styczniowe

Noc Listopadowa

W 1830 roku, po piętnastu latach rządów rosyjskich w Warszawie, Polacy ponownie chwycili za broń. Młodzi żołnierze mieli dość okrutnego traktowania ich przez rosyjskiego dowódcę. Postanowili uwolnić Polskę od Rosjan, zaczynając od Warszawy. Początkiem powstania w polskiej armii miało być pojmanie dowódcy wojska, wielkiego księcia Konstantego. **29 listopada 1830 roku** powstanie rzeczywiście wybuchło i do rana usunięto Rosjan z Warszawy, ale nie zdołano aresztować wielkiego księcia.

Młodych żołnierzy do walki poprowadził **Piotr Wysocki**, który tak wspominał początek walk:

„ […] zawołałem na dzielną młodzież: Polacy! Wybiła godzina zemsty! Dziś umrzeć lub dziś zwyciężyć potrzeba. Idźmy, a piersi Wasze niech będą Termopilami dla wrogów! Na tę mowę i z dala grzmiący głos: do broni, do broni! młodzież porwała za karabiny i pędem błyskawicy podskoczyła za dowódcą […]”.

Podporucznik Piotr Wysocki stał na czele spisku oficerów polskich, który doprowadził do wybuchu powstania listopadowego.

Atak mieszkańców Warszawy na Arsenał (skład broni) 29 listopada 1830 roku pozwolił uzbroić wielu cywilów. To zdecydowało o zajęciu Warszawy.

„Oto dziś dzień krwi i chwały" – wojna z Rosją w 1831 roku

Powstańcy nie zaplanowali jednak dalszych działań, ani nawet nie przygotowali rządu. Władzę przejęły więc osoby ogólnie szanowane, ale takie, które powstania nie chciały i zamierzały porozumieć się z carem. Ten jednak nie chciał z Polakami rozmawiać i postanowił ich ukarać. Do Królestwa Polskiego wkroczyła armia rosyjska, przeszło dwukrotnie liczniejsza od polskiej. Tym razem jednak na czele wojsk polskich nie stał ani Kościuszko, ani książę Poniatowski. Dowódcy zmieniali się często i nie wykazywali ochoty do walki. Mimo to wojska polskie odniosły szereg

Bitwa pod Olszynką Grochowską była jedną z największych bitew w powstaniu listopadowym. Dzięki odwadze i męstwu polskiej armii wojska rosyjskie zostały pokonane. Obraz Wojciecha Kossaka (Muzeum Narodowe w Warszawie).

wspaniałych zwycięstw – najważniejsze **pod Olszynką Grochowską w 1831 roku**. Dopiero klęska Polaków pod Ostrołęką zmieniła losy wojny. Bohaterski opór trwał jednak do października 1831 roku. Walki powstańcze upamiętnia pieśń **Warszawianka** napisana przez Francuza, Casimira Delavigne'a. Na język polski przełożył ją Karol Sienkiewicz, a muzykę napisał Karol Kurpiński. Przeczytacie tu jej pierwszą zwrotkę i refren.

1. *Oto dziś dzień krwi i chwały,*
   Oby dniem wskrzeszenia był,
   W tęczę Franków Orzeł Biały
   Patrząc lot swój w niebo wzbił;
   słońcem lipca podniecany
   Woła do nas z górnych stron;
   Powstań Polsko, skrusz kajdany:
   Dziś twój tryumf albo zgon.

Ref.
   Hej, kto Polak, na bagnety!
   Żyj swobodo, Polsko żyj,
   Takim hasłem cnej podniety,
   Trąbo nasza, wrogom grzmij!

Żaden z polskich naczelnych wodzów nie potrafił poprowadzić powstańców do zwycięstwa. Doskonała armia przeszła w końcu granicę pruską, gdzie złożyła broń. Żołnierze, politycy, pisarze, patrioci musieli za granicą szukać schronienia przed zemstą cara.

Szabla generała Henryka Dembińskiego z herbami Polski i Litwy. Generał był jednym z ostatnich, którzy zwątpili w zwycięstwo.

Żołnierze unoszą rannego generała Kickiego z pola bitwy pod Ostrołęką w 1831 roku. Obraz Wojciecha Kossaka (Muzeum Okręgowe w Tarnowie).

„Noc Paskiewiczowska"

Kary za powstanie były surowe. Car odwołał konstytucję, zlikwidował polską armię i kazał odebrać majątki uczestnikom powstania. Swoim zastępcą w Królestwie Polskim mianował wyjątkowo okrutnego rosyjskiego marszałka – **Iwana Paskiewicza**. Ci z uczestników powstania, którzy nie wyjechali za granicę trafiali na **Syberię** lub zmuszano ich do służby w wojsku rosyjskim. Za najmniejsze przewinienia aresztowano Polaków i skazywano na śmierć. Wszyscy obawiali się okrutnej carskiej policji, szpiegów i rosyjskich żandarmów. Dlatego też trudne 25 lat po powstaniu nazwano w Warszawie „nocą Paskiewiczowską". Prześladowania spotkały też Polaków pod zaborem pruskim, choć w tym powstaniu nie walczono przeciw Prusom.

Zakuwanie Polaków w kajdany podczas marszu na Syberię. Obraz Aleksandra Sochaczewskiego (Muzeum Historyczne Miasta Stołecznego Warszawy).

Syberia – wielka kraina w Rosji na wschód od gór Ural, słabo zaludniona i w większości porośnięta gęstym lasem. Prawie nie dało się stamtąd uciec, bo na uciekinierów polowali specjalni łowcy. Zmuszano tam zesłańców do ciężkiej pracy przy wyrębie drzew lub w kopalniach. Ci, którzy mieli lżejszą karę, musieli tam tylko mieszkać, ale i to było bardzo trudne. Zima na Syberii trwa bardzo długo, czasem nawet 10 miesięcy. Mrozy są tam straszne, znacznie groźniejsze niż na Alasce. Krótkie lato jest gorące, ale nie potrafi całkiem rozmrozić ziemi.

Zamykanie kościołów – rysunek Artura Grottgera. Kościoły zamknięto w 1861 roku po tym, jak wojsko carskie wkroczyło na patriotyczne nabożeństwa i aresztowało ponad 1600 ludzi.

Polacy nie składają broni

Następna próba powstania została podjęta w Krakowie. Powstanie to miało objąć wszystkie zabory, ale ograniczyło się do okolic miasta i trwało tylko kilkanaście dni na przełomie lutego i marca **1846 roku**.

Kucie kos – rysunek Artura Grottgera. Chłopi biorący udział w powstaniu byli często uzbrojeni w kosy, tak jak wcześniej żołnierze Tadeusza Kościuszki.

Powstańcy nie opanowali żadnego większego miasta. Bitwa o mały Miechów zakończyła się ich klęską.

Powstańcy liczyli na to, że polscy chłopi, jak za czasów Kościuszki, chwycą za broń przeciw zaborcom. Ale wiedzieli o wybuchu powstania także austriaccy urzędnicy, którzy przekonali chłopów, nie umiejących czytać ani pisać, że nie warto walczyć w powstaniu. Bez licznego udziału chłopów powstańcy nie mieli szans w walce z wojskiem austriackim i szybko zaprzestali oporu. Dwa lata później (**w 1848 roku**) wybuchły lokalne powstania w Krakowie, Lwowie i w Wielkopolsce. Wydarzenia te były częścią europejskiej rewolucji, zwanej **Wiosną Ludów**. Podobnie jak ta rewolucja, polskie powstania szybko upadły. Najdłużej Polacy walczyli na Węgrzech, gdzie razem z węgierskimi powstańcami bronili tego kraju przed Rosjanami i Austriakami.

Wojsko polskie zostało rozwiązane przez cara po powstaniu listopadowym. Dlatego w powstaniu styczniowym brały udział liczne oddziały partyzanckie, które ukrywały się przed Rosjanami w lasach. Obraz Tadeusza Ajdukiewicza przedstawia obóz powstańców w lesie (Muzeum Narodowe w Poznaniu).

„Poszli nasi w bój bez broni" – powstanie styczniowe

W Królestwie Polskim po klęsce powstania listopadowego obawiano się dalszej walki z Rosjanami. Władze wprowadziły ostrą cenzurę prasy i książek, wszędzie węszyła tajna policja, a liczne aresztowania szerzyły strach i przerażenie. W dodatku w szkołach zaczęto uczyć po rosyjsku. Nagle, w 1855 roku jak grom gruchnęła wieść, że Rosja przegrała wojnę z Francją, Wielką Brytanią, Sardynią i Turcją. Niedługo potem zmarł Paskiewicz. Wśród Polaków rodziły się nadzieje na zmiany. Młody car Aleksander II zmienił politykę rosyjską i wprowadził reformy w całym państwie. W Warszawie mianował szefem rządu **Aleksandra Wielopolskiego**, polskiego arystokratę, który za cenę pełnej uległości wobec cara chciał unowocześnić kraj. Ale Polacy znów uwierzyli, że Rosję da się pokonać. Przez dwa lata, podczas nieustających demonstracji wspieranych przez księży, pastorów i rabinów wołali: „Wolność albo śmierć!". Nie zgadzali się na pomysły Wielopolskiego. Wtedy hrabia Wielopolski postanowił aresztować przygotowującą powstanie młodzież i wcielić ją siłą do carskiego wojska. Zagrożeni tą „branką" (od słowa „brać") młodzi mężczyźni chronili się w lasach. Była **połowa stycznia 1863 roku**, podczas mrozów trudno było ukrywać się w lesie. Pozostawało więc ruszyć do walki. W taki sposób przedwcześnie wybuchło największe polskie powstanie. Liczono na udział chłopów, nadając im na własność ziemię, którą dotychczas użytkowali. Jednak nieliczne oddziały powstańcze miały przeciw sobie 100 tysięcy żołnierzy rosyjskich. Polakom zabrakło tym razem dobrze uzbrojonego wojska, które umiejętnie walczyło z Rosjanami podczas powstania listopadowego. Oddziały powstańców, uzbrojone w kosy i myśliwskie strzelby, musiały walczyć jak Indianie. Napadały na rosyjskie patrole i szybko wycofywały się do lasów – taki był obraz walk powstańczych. Ogromnym bohaterstwem wykazał się niemal cały naród. Nie tylko żołnierze prowadzili wojnę. Ktoś musiał ich żywić – robili to ci, którzy nie poszli z bronią do lasów. Podczas powstania Polacy zbudowali tajne państwo. Tajny rząd wydawał polecenia, których słuchali obywatele, pomimo że za pomoc powstańcom groziła śmierć. Płacono dobrowolnie podatki na broń, ukrywano rannych, sądzono zdrajców. Broń przemycano aż z Belgii. Mimo tego wysiłku, Rosjanie powoli, ale coraz skuteczniej zwalczali powstanie. W maju 1864 roku aresztowali jego ostatnich przywódców. Carska zemsta była straszna. Zaborcy zabijali powstańców lub zsyłali na Syberię. Rabowali i niszczyli majątki, odbierali je Polakom. W urzędach wprowadzono znowu język rosyjski, w 1872 roku zakazano w szkołach używania języka polskiego (nawet na przerwach). Nawet za rozmowy po polsku na ulicy groziły kary. Carscy urzędnicy chcieli, by w XX wieku polskie matki śpiewały dzieciom kołysanki już po rosyjsku.

Potyczka, obraz F. Bastina. Często małe starcia kończyły się klęską źle uzbrojonych powstańców (Muzeum Wojska Polskiego w Warszawie).

Marsz zesłanych Polaków na Syberię, rysunek Artura Grottgera.

ZAPAMIĘTAJ

Polacy wiele razy w ciągu XIX wieku zrywali się do walki o niepodległość. Do największych zrywów należały powstania: listopadowe (1830–1831) i styczniowe (1863–1864).

SŁOWNICZEK

bagnet (*bayonet*) – służący do walki długi nóż zakładany na karabin

cny (*virtuous*) – uczciwy, szlachetny, odważny

kajdany (*fetters, manacles*) – metalowe obręcze na nogi i ręce, połączone łańcuchami

karabin (*rifle*) – długa broń palna

kołysanka (*lullaby*) – piosenka śpiewana dziecku na dobranoc

marzyć (*to dream*) – śnić na jawie, wyobrażać sobie coś

młodzież (*young people*) – młodzi ludzie, prawie dorośli

strzelba myśliwska (*hunter's rifle*) – broń służąca do polowań

swoboda (*freedom*) – wolność, możliwość postępowania według własnej woli

Termopile – miejsce w Grecji, w którym zginęli wszyscy obrońcy, ale się nie poddali

tęcza (*rainbow*) – kolorowy łuk widoczny na niebie po burzy

tryumf (*triumph*) – uroczyste świętowanie zwycięstwa

ulec (*to surrender, to succumb*) – zostać pokonanym, poddać się

zesłać (*to exile*) – pozbawić kogoś jego domu i przesiedlić w inne odległe okolice

zgon (*moment of death*) – chwila śmierci

żandarm (*military policeman*) – wojskowy policjant

1. Rozegraj prostą grę planszową ilustrującą działania powstania listopadowego. Wymagany jest jeden pionek dla każdej grającej osoby i sześcienna kostka do gry. Żeby zwyciężyć w powstaniu, musisz zakończyć grę w ciągu nie więcej niż 15 kolejek. Czas jest ważny, gdyż działał na niekorzyść Polaków. Poruszamy się o 1 pole za każde wyrzucone oczko. Jeśli na polu natrafisz na polecenie, musisz je wykonać. Powodzenia!

Legenda do gry:

Pola niebieskie – powstanie rozpoczęte bez planu. Przez pięć następnych rzutów kostką poruszasz się zawsze o dwa oczka mniej, niż wskazuje kostka. Jeśli wypada 1, cofasz się o 1 pole.

Pola żółte – wygrana bitwa z Rosjanami. Poruszasz się o jedno oczko dalej, niż wskazuje kostka.

Pole czerwone – zamieszki polityczne, czekasz dwie kolejki na zmianę wodza naczelnego.

Pole czarne – przegrana bitwa! Wracasz na start.

2. Porównaj godła z czasów powstania listopadowego i styczniowego. Opisz je, biorąc pod uwagę, że Orzeł to herb Polski, Pogoń (rycerz na koniu) to herb Litwy, a Archanioł Michał – Rusi (Ukrainy). Napisz, co symbolizowały godła powstań.

Sztandar z okresu powstania listopadowego.

Sztandar z okresu powstania styczniowego.

Godło powstania listopadowego symbolizowało związek

....

....

Godło powstania styczniowego symbolizowało związek

....

....

3. Przeczytaj uważnie przedstawiony w tekście fragment *Warszawianki*. Następnie uzupełnij zdania.

Z pieśni *Warszawianka* dowiadujemy się, że Polacy wzorowali się na rewolucji francuskiej z 1830 roku. Świadczy o tym pojawienie się w pierwszej zwrotce nazwy miesiąca

.... , w którym wybuchła ta rewolucja. Mówi też o tym

zadanie: „.." .

Tekst pieśni obiecuje Polakom .... albo śmierć.

Z tekstu utworu wynika, że Polacy ponad życie cenią ....

....

4. Uzupełnij brakujące wyrazy:

.... Paskiewiczowska

zesłanie na ....

zmuszanie do służby w .... rosyjskim

5. Obejrzyj francuską karykaturę, przedstawiającą stosunek sił między Polakami (przedstawionymi jako mucha z kosą w rogatywce) i Rosjanami (przedstawionymi jako żołnierz). Uzupełnij zdanie:

Francuzi byli wobec Polaków

....

nastawieni.

Użyj jednego ze słów: *przychylnie, nieprzychylnie, dobrze, źle, przyjaźnie, nieprzyjaźnie, wrogo.* **Przedyskutuj z kolegami i koleżankami trafność użytego słowa.**

6. Połącz strzałkami w pary właściwe pojęcia:

wojsko polskie

partyzanci

dobre uzbrojenie

powstanie listopadowe

broń myśliwska i kosy

powstanie styczniowe

walka bez pomocy z zagranicy

liczne zwycięstwa w bitwach

przewaga rosyjska

długi opór

7. Uzupełnij tekst używając następujących słów: *rosyjskim, powstanie, niepodległości, styczniowe, emigracji, 1863.*

W XIX wieku Polacy podejmowali próby odzyskania ....

Największe powstania wybuchły w zaborze .... W 1830 roku

.... listopadowe, a w .... roku powstanie

.... Jednak walka zbrojna nie przyniosła zwycięstwa, a represje

władz carskich zmusiły wielu Polaków do ....

Emigracja po powstaniach

Na specjalnie wydanym druku przedstawiono ostatnich polskich żołnierzy, którzy po upadku powstania listopadowego musieli przekroczyć granicę i opuścić Królestwo Polskie.

Na obczyźnie – dlaczego musieli emigrować?

Królestwo Polskie zostało ukarane za powstanie listopadowe, o czym czytałeś (czytałaś) już w poprzednim rozdziale. Kto obawiał się o swoje życie, uciekał za granicę wraz z ostatnimi oddziałami wojska. W ten sposób w zachodniej Europie przybywało polskich emigrantów. Dołączali do nich ci, którym nie groziły prześladowania, ale nie chcieli żyć w zniewolonym kraju. W 1831 i 1832 roku około 7 tysięcy Polaków przywędrowało do **Francji**. Dlaczego przybywali właśnie do tego kraju, skoro w wielu państwach niemieckich witano ich radośnie i serdecznie? Odpowiedź jest prosta – rząd francuski obiecał specjalny żołd dla „**rycerzy wolności**". A ponieważ polskie powstanie naprawdę uratowało Francję przed atakiem wojsk rosyjskich, Francuzi domagali się od swych władz pomocy dla Polaków. Pomoc ta była bardzo skromna, a byłych powstańców trzymano w specjalnych koszarach z dala od Paryża, w którym mogli mieszkać tylko bogatsi emigranci.

W drodze do Francji polscy emigranci musieli przejść przez Niemcy. Wszędzie witano ich z ogromną radością i podziwem. Ilustracja przedstawia wejście emigrantów polskich do Lipska, jednego z niemieckich miast.

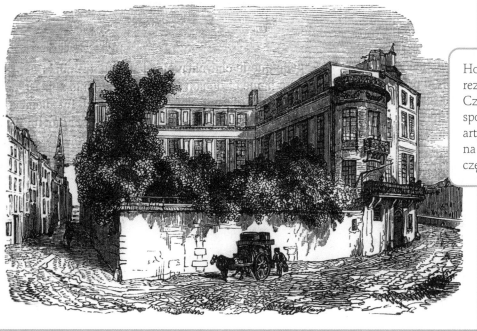

Hotel Lambert w Paryżu stał się rezydencją księcia Adama Czartoryskiego. W jego domu spotykali się najwybitniejsi artyści polscy tworzący na emigracji, którym książę często pomagał.

Wszyscy chcieli wrócić do Polski, najlepiej z bronią w ręku. Dlatego przez następne 30 lat wielu emigrantów przyjeżdżało do kraju w tajemnicy, często w przebraniu i pod zmienionym nazwiskiem. Przybywali jako **emisariusze,** czyli wysłannicy pozostałych emigrantów. Przygotowywali kolejne powstania i przyszłą walkę o niepodległość, przewozili zakazane książki. Często płacili za to najwyższą cenę – oddawali życie. Zaborcy zwykle nie mieli litości dla emisariuszy.

Arcydzieła, które wyrosły z tęsknoty za Ojczyzną (Mickiewicz, Słowacki, Chopin)

Uciekinierzy po powstaniu listopadowym nazwani zostali **Wielką Emigracją**. Nie chodzi o ich liczbę – po powstaniu styczniowym i później (w drugiej połowie XIX i w XX wieku) wyjechało za granicę znacznie więcej Polaków. Ale to właśnie po powstaniu listopadowym można było w **Paryżu** posłuchać wykładu samego **Adama Mickiewicza**, koncertu granego osobiście przez **Fryderyka Chopina**, czy porozmawiać z **Juliuszem Słowackim**. W paryskich salonach gośćmi byli najwybitniejsi

Szymon Konarski był jednym z najbardziej aktywnych emisariuszy polskich. Został jednak złapany przez Rosjan i skazany na śmierć w 1839 roku.

W Paryżu mieszkał i tworzył największy polski poeta Adam Mickiewicz. Portret namalowany przez Aleksandra Kamińskiego (Muzeum Narodowe w Warszawie).

polscy twórcy. Nawet ci, którzy nie musieli uciekać przed carem, przyjeżdżali do Paryża, by spotkać największych polskich twórców. Tu istniały polskie szkoły, wydawnictwa, drukarnie. Stąd do kraju przemycano powstające na emigracji dzieła Mickiewicza i Słowackiego. Szczególnie popularne były **Dziady**, **Pan Tadeusz** Mickiewicza oraz *Kordian*, *Beniowski* i *Król Duch* Słowackiego. W tym samym czasie kompozytor Fryderyk Chopin zyskał nieśmiertelną sławę swymi **polonezami i mazurkami**. Wszyscy tworzyli swe najpiękniejsze dzieła z tęsknoty do kraju:

Dziś dla nas, w świecie nieproszonych gości,
W całej przeszłości i w całej przyszłości
Jedna już tylko jest kraina taka,
W której jest trochę szczęścia dla Polaka:
Kraj lat dziecinnych! On zawsze zostanie
Święty i czysty jak pierwsze kochanie,
Nie zaburzony błędów przypomnieniem,
Nie podkopany nadziei złudzeniem
Ani zmieniony wypadków strumieniem.

Adam Mickiewicz, *Pan Tadeusz, Epilog*

Polacy w walce o wolność innych narodów

Wielu emigrantów chciało nadal walczyć przeciw zaborcom, a jeśli było to niemożliwe, to przynajmniej w imię wolności. Przypominali hasło z czasów

Szczególnie dużo Polaków walczyło na Węgrzech. Do dziś generał Józef Bem, uczestnik powstania listopadowego, jest także na Węgrzech bohaterem narodowym. W 1849 roku jako naczelny wódz armii Węgier dzielnie bronił tego kraju przed jednoczesnym atakiem Austriaków i Rosjan. Zmarł, gdy przygotowywał obronę Turcji przed Rosją.

Kościuszki: **„Za Waszą wolność i naszą”**. Walczyli we wszystkich europejskich rewolucjach z 1848 roku – w Niemczech, we Włoszech, w Austrii i na Węgrzech.

Kolejni emigranci opuszczali kraj rodzinny po 1846, 1849 i wreszcie 1864 roku. Już tylko niewielu z tej licznej rzeszy zaglądało do Francji, gdzie patrzono na nich niechętnie. Większość emigrowała do **obu Ameryk**.

Portret generała Józefa Bema, bohatera dwóch narodów: Polaków i Węgrów, mal. Józef Zamoyski (Muzeum Wojska Polskiego w Warszawie).

Za waszą i naszą wolność, karta tytułowa albumu Legionu Polskiego na Węgrzech.

Najbardziej znanym polskim oficerem w wojskach Unii był pułkownik Włodzimierz Krzyżanowski. Brał udział w bitwie pod Gettysburgiem w 1863 roku, gdzie wykazał się wielką odwagą. W większości z Polaków składał się 58 pułk z Nowego Jorku, nazwany nawet Legionem Polskim i noszący polskie rogate czapki. Wielu Polaków miał w swych szeregach 24 pułk z Michigan. Był to jeden z najdzielniejszych oddziałów Unii w bitwie pod Gettysburgiem, największej bitwie stoczonej na amerykańskiej ziemi.

Sztandar powstańców styczniowych z 1863 roku. Partyzanci wypisali na nim wartości, o które chcieli walczyć.

Początkowo było im bardzo ciężko. Nie było dla nich pracy, a żołnierzy tam nie potrzebowano. Polacy uczyli się języka, zdobywali nowe zawody. Kiedy jednak w **Stanach Zjednoczonych** wybuchła wojna secesyjna (1861–1865) wielu Polaków wstąpiło do armii Unii, by walczyć o równość między ludźmi.

Po powstaniu styczniowym duża grupa polskich żołnierzy w dziwny sposób trafiła do Ameryki. Wypuszczono ich z austriackiego więzienia pod warunkiem, że będą walczyć w szeregach wojska „cesarza Meksyku" Maksymiliana Habsburga, który zwalczał siły wybranego przez Meksykanów prezydenta Juareza. Podobny los spotkał Polaków, którzy wstąpili do francuskiej Legii Cudzoziemskiej. Większość z nich wolała jednak walczyć o wolność **Meksyku**, wspólnie z mieszkańcami tego kraju. Dlatego wielu Polaków uciekło do wojsk Juareza.

Wszyscy emigranci próbowali powrócić do kraju z bronią w ręku. Byli wierni napisanej przez Mickiewicza modlitwie:

Adam Mickiewicz, *Litania pielgrzymska* (zakończenie *Ksiąg pielgrzymstwa polskiego*), fragmenty

> *18 O wojnę powszechną za Wolność Ludów!*
> *Prosimy Cię Panie.*
> *19 O broń i orły narodowe.*
> *Prosimy Cię Panie.*
> *20 O śmierć szczęśliwą na polu bitwy.*
> *Prosimy Cię Panie.*
> *21 O grób dla kości naszych w ziemi naszej.*
> *Prosimy Cię Panie.*
> *22 O niepodległość całość i wolność Ojczyzny naszej.*
> *Prosimy Cię Panie.*
> *23 W imię Ojca i Syna i Ducha Świętego. Amen.*

Ubiór oficera oddziałów partyzanckich z czasów powstania styczniowego.

Orzeł z drzewca sztandaru oddziału Mariana Langiewicza, który walczył w powstaniu styczniowym.

ZAPAMIĘTAJ

Polscy emigranci wyjeżdżali najpierw do Niemiec i Francji, potem do innych krajów świata. Do 1864 roku najczęściej emigrowali powstańcy i osoby prześladowane politycznie. Zyskali na całym świecie sławę „rycerzy wolności".

SŁOWNICZEK

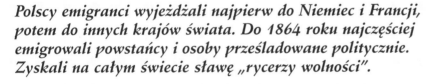

emigrant (*emigrant*) – ktoś, kto musi wyjechać na długo (często na zawsze) za granicę

emisariusz (*emissary*) – ktoś, kogo wysyła się z emigracji do kraju z ważnym zadaniem

litania (*litany*) – modlitwa z często powtarzanym wezwaniem

modlitwa (*prayer*) – prośba do Boga

pielgrzym (*pilgrim*) – ktoś, kto podróżuje, by stawać się doskonalszym, lepszym

powszechny (*universal, common*) – przeznaczony dla wszystkich, tu: wojna powszechna – wojna wszystkich europejskich mocarstw ze sobą

wojna secesyjna (*Civil War*) – wojna w USA pomiędzy stanami północnymi (Unia) a południowymi (Konfederacja). W wyniku zwycięstwa Unii zniesiono niewolnictwo

wyjeżdżać (*to leave*) – zostawić kraj lub miejsce, w którym się mieszka

ĆWICZENIA

1. Rozwiąż krzyżówkę. Odczytaj hasło z kolorowych kratek i wyjaśnij jego znaczenie.

1. Polski generał, bohater narodowy Węgier
2. Rezydencją księcia Adama Czartoryskiego w Paryżu był Hotel ....
3. Seria tych wydarzeń nosi nazwę .... Ludów
4. Kraj, w którym w latach 1848 i 1849 walczyło wielu Polaków
5. Wysłannik emigrantów do kraju
6. Zbrojny bunt ludności w obronie wolności kraju
7. Poeta o imieniu Juliusz, jeden z trzech „wieszczów"
8. Kraj do którego wyjeżdżano najczęściej po 1831 roku
9. Epopeja narodowa Adama Mickiewicza nosi tytuł *Pan* ....

Odczytaj hasło z ciemniejszych kratek: ....

2. Połącz strzałkami w pary twórców działających na emigracji i ich utwory.

Fryderyk Chopin		Polonez As-dur
Adam Mickiewicz		Pan Tadeusz
Juliusz Słowacki		Kordian
		Dziady
		Beniowski

3. Przeczytaj uważnie *Litanię pielgrzymską.* **Uzupełnij poniższy tekst korzystając ze słów, które w niej znajdziesz.**

W litanii emigranci błagają Boga o dar powrotu do kraju, by znaleźć w nim

.... dla swoich .... Pomóc w tym miała

.... powszechna o wolność .... Emigranci

zamierzali wziąć w niej udział z .... w ręku, mając na sztandarach

.... narodowe. Nie obawiali się .... na polu

bitwy. Gotowi byli poświęcić wszystko, by uzyskać dla swojej ....

wolność i całość.

4. Przeczytaj uważnie opowiadanie. Podkreśl ten fragment, który wskazuje na to, że emigranci dążyli nie tylko do przywrócenia wolności Polakom, ale chcieli też wyzwolić inne narody – walczyli „za Waszą i naszą wolność".

Wielu polskich emigrantów uważało, że trzeba odbudować Polskę jako kraj inny niż poprzednio. Miała być państwem demokratycznym. Były to śmiałe plany, gdyż tylko trzy państwa można było wówczas nazwać demokratycznymi – Stany Zjednoczone, Wielką Brytanię i Belgię. Żeby wyzwolić kraj, chcieli wywołać powstanie wszystkich Polaków. Uważali, że gdy za broń chwycą wszyscy, nikt ich nie pokona. Ale niełatwo było przekonać o tym rodaków. Wysyłali więc posłańców, którzy mieli przygotować powstanie i uczyli, jak należy walczyć z zaborcami. Emigranci wierzyli, że Polacy powinni pomagać innym ludom w osiągnięciu wolności. Dlatego chcieli sprawiedliwego traktowania słabszych narodów: Litwinów, Ukraińców i Białorusinów. Chcieli też pomóc osiągnąć wolność Węgrom, Czechom, Słowakom i Włochom.

Czy z dziejów współczesnych znasz przykłady, aby jedne narody pomagały osiągnąć wolność i demokrację innym narodom?

....

....

....

....

ĆWICZENIA

5. Uważnie przeczytaj opowiadanie z poprzedniego ćwiczenia. Następnie zakreśl właściwe odpowiedzi. Może być ich więcej niż jedna.

a) Emigranci widzieli przyszłą Polskę jako:
   – państwo o ustroju absolutnym
   – państwo demokratyczne
   – państwo niepodległe

b) Z kim chcieli współpracować demokraci, aby Polska odzyskała niepodległość?
   – z władcami państw zachodnich
   – z władcą Rosji
   – z innymi ludami

c) Co myśleli o nienawiści wobec innych narodów:
   – byli wrogo nastawieni do wszystkich
   – byli wrogo nastawieni jedynie do narodów państw zaborczych
   – wierzyli we współdziałanie z wszystkimi ludami
   – wierzyli, że można współdziałać ze wszystkimi oprócz zaborców

d) Najmniej realistyczne wydaje mi się marzenie emigrantów:
   – o odzyskaniu niepodległej Polski
   – o współdziałaniu z innymi ludami
   – o zniknięciu nienawiści narodowych

6. Połącz w pary postacie i związane z nimi miejsca.

	Polska
gen. Józef Bem	USA
gen. Ignacy Chrzanowski	Piemont
płk Włodzimierz Krzyżanowski	Meksyk
Polacy w Legii Cudzoziemskiej	Węgry
	Turcja

Jak nie udało się z Polaków zrobić Rosjan

Po klęsce powstania styczniowego władze Rosji postanowiły „zrobić z Polaków dobrych Rosjan". Dlatego ze szkół zupełnie usunięto język polski. Nawet nazwy sklepów pisano po rosyjsku. Czujni rosyjscy policjanci karali przechodniów za rozmowy po polsku. Po rosyjsku pisano nazwy miejscowości i tytuły gazet. To nie wszystko – Polaków nieustannie śledzono i kontrolowano:

Gdy uczeń siedzi w klasie, obserwuje go [...] nauczyciel, badający nawet wyraz jego twarzy, a obok tego często inspektor lub dyrektor patrzy nań z korytarza przez szybę lub dziurkę od klucza. Wyszedłszy [...] na korytarz lub na podwórze, musi się nieustannie oglądać, czy nie podkrada się na palcach za jego plecami pomocnik gospodarza klasy lub też któryś z nauczycieli i zwierzchników szkolnych. Nawet w miejscu ustępowym musi się mieć na baczności, bo tam zamyka się często jaki „pedagog", żeby słuchać, czy młodzież nie mówi po polsku.

Roman Dmowski, *Ze studiów nad szkołą rosyjską w Polsce w drugiej połowie XIX w.*, „Przegląd Wszechpolski" 1895, nr 17

W kraju nie było możliwości podjęcia walki, gdyż powstanie styczniowe przyniosło zbyt wielkie straty. Władze carskie ciągle aresztowały następnych Polaków. Często bez powodu wysyłały ich na Syberię. Polak mógł być ukarany za to, że niósł ulicą biało-czerwone kwiaty. Uczniów wyrzucano

Warszawa. Cerkiew na Placu Saskim.

Pomnikiem rosyjskiego panowania w Polsce miały być liczne cerkwie, budowane nawet tam, gdzie większość ludności była katolicka, a do cerkwi chodzili tylko rosyjscy urzędnicy. Na ilustracji cerkiew Aleksandra Newskiego na placu Saskim w Warszawie. W 1926 roku została rozebrana.

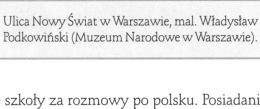
Ulica Nowy Świat w Warszawie, mal. Władysław Podkowiński (Muzeum Narodowe w Warszawie).

ze szkoły za rozmowy po polsku. Posiadanie książek Mickiewicza lub Słowackiego też było karane. W Rosji nie decydowało prawo, tylko samowola urzędników. Dlatego na Syberię często wywożono Polaków bez wyroku sądu.

Rosjanie nie złamali jednak ducha Polaków. Pomimo strachu i niebezpieczeństwa młodzi ludzie uczyli się w tajemnicy po polsku, marzyli o walce przeciw zaborcy. Im bardziej Rosjanie pilnowali Polaków, tym większy napotykali opór. Młodzi Polacy nie mówili na co dzień po rosyjsku. Kiedy w 1905 roku, w Rosji wybuchła rewolucja, młodzież rozpoczęła strajk szkolny i wywalczyła prawo do nauki po polsku w polskich szkołach prywatnych.

„Nie będzie Niemiec pluł nam w twarz" – Polacy w zaborze pruskim

W zaborze pruskim od początku Polaków traktowano źle. Nie tylko zakazano używania języka polskiego w urzędach i szkołach średnich, ale zaczęto sprowadzać Niemców i osiedlać ich w Wielkopolsce i na Śląsku. Władze chciały, by na tych ziemiach mieszkało więcej Niemców niż Polaków. Wykupywano więc polskie majątki, by osadzić tam Niemców. Na to Polacy odpowiedzieli solidną pracą, by nie mieć długów i nie narażać się władzom. Powstawały polskie banki i zakłady przemysłowe. Polacy dbali o swój język w kościołach, zakładali chóry, uczyli się religii po polsku. Niemcy aresztowali więc księży pod różnymi zarzutami. Polacy stanęli w obronie swoich duszpasterzy. Wtedy władze pruskie zakazały w szkołach nauki religii po polsku. W miejscowości Wrześni dzieci odmówiły mówienia pacierza po niemiecku, za co zostały pobite przez niemieckiego nauczyciela. Rodzice zaprotestowali i przestali wysyłać dzieci

Student, mal. Wojciech Weiss. Grupą najbardziej zagrożoną rusyfikacją i germanizacją była młodzież, która nie mogła uczyć się w szkołach w swoim ojczystym języku (Zamek Królewski na Wawelu).

do szkoły. Władze rozpoczęły walkę z rodzicami – skazywały ich na grzywny, zamykały w areszcie. O sprawie dzieci z Wrześni zrobiło się bardzo głośno w zagranicznej prasie. Protest dzieci wsparli pisarze i poeci, rząd niemiecki musiał w końcu zrezygnować z uczenia religii po niemiecku. Po całej sprawie pozostał wzruszający wiersz Marii Konopickiej.

Polacy w czasie rewolucji rosyjskiej w 1905 roku próbowali wywalczyć swobody narodowe. Na zdjęciu atak carskiej kawalerii na polską demonstrację.

O Wrześni

*Tam od Gniezna i od Warty
Biją głosy w świat otwarty,
Biją głosy, ziemia jęczy:
– Prusak dzieci polskie męczy!*

*Za ten pacierz w własnej mowie,
Co ją zdali nam ojcowie,
Co go nas uczyły matki,
– Prusak męczy polskie dziatki!*

*Wstał na gnieździe Orzeł biały,
Pióra mu się w blask rozwiały...
Gdzieś do Boga z skargą leci...
– Prusak męczy polskie dzieci!*

*Zbudziły się prochy Piasta,
Wstał król, berło mu urasta,
Skroń w koronie jasnej świeci,
Bronić idzie polskie dzieci...*

*Zwołajcie mi moje rady,
Niechaj śpieszą do gromady!
Zwołajcie mi moich kmieci...
– Prusak męczy polskie dzieci!*

*Wstańcie, sioła! Wstańcie, grody!
Ruszcie z brzegów Gopła wody!
Bijcie, dzwony, od Kruszwicy,
Skroś Piastowej mej ziemicy!*

Prusacy zaczęli od pozbawienia ziemi tych Polaków, którzy przybyli w Poznańskie z innych zaborów. Obraz Wojciecha Kossaka przedstawia właśnie te tak zwane „rugi pruskie" (rugować – usuwać) (Muzeum Okręgowe w Tarnowie).

Sprawa Drzymały stała się głośna w świecie. Artykuł z francuskiej gazety opisujący kłopoty i pomysłowość wielkopolskiego chłopa.

Arcybiskup gnieźnieński Mieczysław Ledóchowski trafił do pruskiego więzienia.

Bijcie, dzwony, bijcie serca,
Niech drży Prusak przeniewierca,
Niech po świecie krzyk wasz leci:
– Prusak męczy polskie dzieci!

Niechaj wiara moja stanie,
Niech się skrzyknie zawołanie,
Wici niechaj lud zanieci...
– Prusak męczy polskie dzieci...

Władze pruskie prześladowały Polaków na wiele sposobów – prowadziły walkę z Kościołem, próbowały **germanizować** dzieci (czyli uczynić z Polaków Niemców), starały się odbierać ziemię Polakom. Najbardziej znanym przykładem oporu Polaków przeciwko tym działaniom była sprawa chłopa Michała Drzymały. Kupił on od innych Polaków ziemię, ale bez domu. Niemcy natychmiast wydali prawo, które zabraniało budowania nowych domów bez zezwolenia. Drzymała zamieszkał w wozie dla cyrkowców. Niemcy szybko wydali zakaz, zabraniający cyrkowym wozom stać w jednym miejscu dłużej niż dwa dni. W odpowiedzi Drzymała razem z synami przesuwał wóz co dwa dni. Wreszcie wóz spłonął, podpalony przez niemieckich sąsiadów Drzymały. Wtedy ludzie z całej Wielkopolski zebrali pieniądze na nowy wóz dla sprytnego i upartego chłopa. Drzymała nie oddał swej ziemi. Trzeba jednak pamiętać, że sytuacja Polaków w zaborze pruskim (w zjednoczonych Niemczech) była o wiele lepsza od sytuacji rodaków w zaborze rosyjskim, ponieważ Niemcy (inaczej niż Rosjanie) przestrzegali prawa. Gdyby Drzymała miał swój wóz w zaborze rosyjskim, bez wyroku sądu trafiłby na Syberię.

Rota

Nie rzucim ziemi, skąd nasz ród,
Nie damy pogrześć mowy!
Polski my naród, polski lud,
Królewski szczep Piastowy.
Nie damy, by nas zniemczył wróg...
– Tak nam dopomóż Bóg!
– Tak nam dopomóż Bóg!

Do krwi ostatniej kropli z żył
Bronić będziemy Ducha,
Aż się rozpadnie w proch i w pył
Krzyżacka zawierucha.
Twierdzą nam będzie każdy próg...
– Tak nam dopomóż Bóg!
– Tak nam dopomóż Bóg!

Nie będzie Niemiec plut nam w twarz,
Ni dzieci nam germanił.
Orężny wstanie hufiec nasz,
Duch będzie nam hetmanił.
Pójdziem, gdy zabrzmi złoty róg...
– Tak nam dopomóż Bóg!
– Tak nam dopomóż Bóg!

Przetrwamy złego losu dni,
Duch nasz się zeń wyzwoli,
A z naszych ofiar, trudu, krwi,
Powstanie mściciel doli.
W złoty wolności zagrzmi róg,
– Tak nam dopomóż Bóg!
– Tak nam dopomóż Bóg!

Autonomia Galicji

Galicja (czyli zabór austriacki) była najuboższą częścią dawnych ziem polskich. Była też bardzo gęsto zaludniona – mieszkało w niej wielu ubogich chłopów, którzy w dodatku byli często ojcami wielodzietnych rodzin. Dlatego malutkie gospodarstwa dzielono między dzieci na jeszcze mniejsze kawałki. Przemysł prawie nie istniał, choć na południe od Lwowa było zagłębie naftowe.

Właśnie ta uboga ziemia, gdzie jak mawiano „Galicjanin je za pół człowieka, a pracuje za dwóch", była jedynym miejscem, gdzie Polacy mogli mówić, pisać, uczyć się i załatwiać sprawy urzędowe po polsku. Tutaj nie aresztowano nikogo za śpiewanie, że „Jeszcze Polska nie zginęła". W Krakowie, Lwowie, Tarnowie i wszystkich miastach i miasteczkach Galicji

Wieloletni rektor Uniwersytetu Jagiellońskiego, Stanisław Tarnowski, sportretowany przez Jana Matejkę. Stanisław Tarnowski był nie tylko wielkim naukowcem, ale także dziennikarzem i pisarzem politycznym. Głosił hasła rezygnacji z powstań na rzecz codziennej pracy nad rozwojem kultury polskiej (Muzeum Uniwersytetu Jagiellońskiego w Krakowie).

Collegium Novum Uniwersytetu Jagiellońskiego w Krakowie zbudowano w czasach autonomii Galicji, w drugiej połowie XIX wieku.

Wjazd Cesarza do Krakowa, mal. Juliusz Kossak. Franciszek Józef zgodził się na autonomię i dobrze traktował Polaków, w zamian za co mógł liczyć nie tylko na ich lojalność, ale nawet na polityczne poparcie (Muzeum Narodowe w Krakowie).

istniały polskie szkoły podstawowe i średnie, a w Krakowie i Lwowie – wyższe: dwa uniwersytety, politechnika i Akademia Sztuk Pięknych (gdzie rektorem był sam Jan Matejko!). W miastach Galicji gromadzili się polscy poeci, malarze, filozofowie i matematycy. W licznych teatrach grano polskie sztuki. Działały polskie organizacje i towarzystwa. Polacy wykupili nawet od austriackiej armii Wawel i zaczęli jego odbudowę.

Tę dobrą sytuację Polacy zawdzięczali zmianom, które rozpoczęły się w latach 1867–1868, kiedy państwo austriacko-węgierskie stawało się bardziej demokratyczne. Ponieważ polscy politycy pomogli cesarzowi we wprowadzaniu zmian i popierali go, Franciszek Józef pozwolił Polakom

Sokoli na koniach pod Wawelem, mal. Feliks Frančić. Towarzystwo Gimnastyczne „Sokół" szerzyło nie tylko idee zdrowego życia, sportu i gimnastyki, ale także dbało o tradycje narodowe.

na **autonomię** oraz używanie własnego języka
w szkołach, urzędach, samorządzie i polityce.

W Galicji można też było zakładać partie polityczne.
Warunek był tylko jeden – Polacy nie mogli działać
przeciw cesarzowi. Dzięki temu zabór austriacki był
miejscem, w którym mogli się schronić Polacy
prześladowani w innych zaborach.

Na własnej ziemi i w fabryce

Od wieków polscy chłopi nie posiadali ziemi, na której
pracowali. Nie mogli też wybrać, czy chcą pracować
na wsi, czy w mieście. W XIX wieku chłopi dostali ziemię
na własność. Najwcześniej otrzymali ją w zaborze
pruskim (1811–1824), potem w Galicji (1848),
a w zaborze rosyjskim w latach 1861–1864. Dopiero kiedy
chłopi stali się właścicielami ziemi, mogli ją sprzedać.
Wtedy zaczęli przenosić się do miast. Wcześniej tego
robić nie mogli, gdyż zabraniało im prawo. W ten sposób
część chłopów stała się robotnikami w fabrykach.
Najwięcej fabryk i kopalń powstawało na Śląsku.
W Królestwie Polskim najszybciej rozwijały się Łódź
i Warszawa. W Galicji prawie nie było przemysłu. Zmiany
w polskich miastach ułatwiała kolej żelazna, która pojawiła się w latach
40-tych XIX wieku. Praca w fabryce była w owych czasach bardzo ciężka.
Robotnicy nie mogli brać urlopów, dzień pracy trwał od rana do wieczora.
Dlatego zaczęły powstawać partie i związki
zawodowe broniące praw robotników.

Chłop z Bronowic,
mal. Aleksander
Gierymski
(Muzeum Narodowe
w Krakowie).

Huta Królewska na Śląsku. Powstało tam wiele
kopalń węgla oraz hut produkujących stal.

Robotnicy łódzkich
zakładów Karola
Scheiblera. Łódź
w XIX wieku
z małego miasteczka
przekształciła się
w duże przemysłowe
miasto.

W Łodzi powstało wiele fabryk włókienniczych produkujących ubrania.

Jedynym dobrze uprzemysłowionym terenem w Galicji było naftowe Zagłębie Borysławskie.

ZAPAMIĘTAJ

W zaborze pruskim i rosyjskim zwalczano język polski. Natomiast w zaborze austriackim Polacy w drugiej połowie XIX wieku mogli uczyć się po polsku, a nawet brać udział w rządach.

SŁOWNICZEK

autonomia (*autonomy*) – prawo do decydowania o swoich sprawach

germanić (*to Germanize, to make somebody German*) – uczynić kogoś Niemcem, narzucać używanie języka niemieckiego

hetmanić (*to command*) – dowodzić

fabryka (*factory*) – miejsce, w którym prowadzi się produkcję przy użyciu maszyn, na wielką skalę

mściciel (*avenger*) – ktoś, kto podejmuje walkę, by zemścić się za krzywdy

pogrześć (*to bury*) – staropolska forma słowa „pogrzebać"

robotnik (*worker*) – ktoś, kto pracuje w fabryce lub w innym zakładzie pracy, wykonując ciężka pracę

rusyfikacja (*Russification*) – uczynić kogoś Rosjaninem, narzucać używanie języka rosyjskiego

skrzyknąć (*to summon*) – zwołać, wezwać

własność (*property*) – to, co do kogoś należy

zawierucha (*storm, turmoil*) – gwałtowna burza

ziemica (*land*) – staropolska forma słowa „ziemia"

zniemczyć (*to Germanize, to make somebody German*) – uczynić Niemcem

1. Przeczytaj uważnie pierwszą część rozdziału. Podkreśl te z wymienionych praw człowieka, które były łamane w zaborze rosyjskim.

prawo do wolności słowa

prawo do prywatności

prawo do swobodnego wychowywania dzieci

prawo do sprawiedliwego sądu

prawo do wolności wyznania

2. Uzupełnij tabelkę. W puste miejsca wstaw znak „+" jeśli w danym zaborze występowało zjawisko wymienione w pierwszej kolumnie. Jeśli to zjawisko nie występowało, wstaw znak „-".

	zabór austriacki	zabór rosyjski	zabór pruski
więcej było dużych gospodarstw chłopskich	–	–	
więcej było średnich gospodarstw chłopskich	–	+	–
więcej było małych gospodarstw chłopskich		–	–
rozwijał się przemysł		+	+
odbierano ziemię Polakom	–		+
obowiązywał zakaz uczenia się po polsku		+	+
prześladowano Kościół katolicki	–		+
istniały swobody narodowe	+		–
przestrzegano prawa	+		+
szybko rozwijała się kultura polska		–	–

ĆWICZENIA

3. Połącz w pary zjawiska występujące w różnych zaborach.

| Sybir |

| zabór rosyjski |

| wóz Drzymały |

| zabór pruski |

| strajk we Wrześni |

| zabór austriacki |

| autonomia |

4. Uzupełnij tekst, używając słów: *zarobić, austriackim, Polacy, rosyjskim, pruskim, pruskiego, ziemię, szkołach.*

W drugiej połowie XIX wieku .... byli prześladowani w dwóch

zaborach: .... i .... Tylko w zaborze

.... ich sytuacja była inna. Mogli uczyć się po polsku

we wszystkich ...., mogli używać swojego języka

w urzędach. Na ziemiach tego zaboru trudno było jednak ....

na chleb. Dużo zamożniejsi byli mieszkańcy zaboru ....,

ale tam walczyć trzeba było nie tylko o język, ale i o ....

5. Ułóż rozsypankę:

Galicji lacy Po mieli W szkoły i dy urzę ne włas.

....

6. Przeczytaj uważnie wiersze Marii Konopnickiej *O Wrześni* **i** *Rota*. **Wypisz z nich wymienione tam postacie, miejsca i nazwij okresy historyczne, z którymi są związane. Zwróć uwagę na ich rolę w wierszu – mają nie tylko budzić postawę patriotyczną, ale też przypominać najważniejsze wydarzenia z przeszłości.**

Postacie	Miejsca	Czasy historyczne

7. Wyobraź sobie, że jesteś dziennikarzem gazety polskich emigrantów (Polonii) w Ameryce. Opisujesz swą podróż przez trzy zabory w 1880 roku. Napisz taki reportaż w sześciu zdaniach. Wykorzystaj uzupełnioną tabelę z ćwiczenia poprzedniego.

Jadąc przez ziemie zaboru pruskiego zauważyłem (zauważyłam), że

....

....

z kolei w zaborze rosyjskim zwróciłem (zwróciłam) uwagę na

....

....

W Galicji zaskoczyło mnie natomiast to, że

....

....

Polska kultura i literatura po klęsce powstania styczniowego

Zadania twórców po klęsce

Klęska powstania styczniowego zmieniła polską kulturę. Twórcy przestali nawoływać do walki, tak jak robili to poeci z czasów Mickiewicza. Na walkę Polacy nie mieli już sił. W tej sytuacji wielu patriotów uznało, **że szansą przetrwania narodu jest praca**. Ona miała uczynić Polaków bogatszymi i mądrzejszymi i w ten sposób pomóc później w odzyskaniu wolności. Nie zawiązywano już spisków, lecz solidnie pracowano. Pisarze tamtych czasów – Bolesław Prus, Maria Konopnicka, Eliza Orzeszkowa, Henryk Sienkiewicz – krytykowali w swoich nowelach i powieściach zacofanie i ukazywali postacie zaradnych kupców, inżynierów, przedsiębiorców. Miały to być **przykłady do naśladowania**. Przestał się liczyć samotny bohaterski żołnierz. Od tej pory ważniejsi byli nauczyciele uczący wiejskie dzieci, lekarze propagujący zasady higieny, naukowcy prowadzący badania w cichych laboratoriach, rolnicy używający nowoczesnych narzędzi.

Pisarzy wspierali malarze (zwłaszcza Aleksander Gierymski), pokazując na swych obrazach pracę i codzienność.

Portret Henryka Sienkiewicza namalowany przez Olgę Boznańską (Muzeum Narodowe w Krakowie).

Orka na Ukrainie, mal. Leon Wyczółkowski (Muzeum Narodowe w Krakowie).

Piaskarze, mal. Aleksander Gierymski (Muzeum Narodowe w Warszawie).

Wizje przeszłości – Jan Matejko i Henryk Sienkiewicz

Aby ciężko pracujący naród nie zapomniał, kim był i kim jest, wielu twórców pokazywało wspaniałą przeszłość Polski. Mogli to swobodnie robić artyści w Galicji, w innych zaborach taka twórczość była utrudniona (patrz poprzedni rozdział). Mistrzem w pokazywaniu wielkości dziejów Polski był **malarz Jan Matejko**. Jego obrazy przedstawiały: *Chrzest Polski, Bitwę pod Grunwaldem, Hołd Pruski, Unię Lubelską, Batorego pod Pskowem, Sobieskiego pod Wiedniem i Rejtana.* Dzieła te robiły niezwykłe wrażenie i do dziś Polacy nie wyobrażają sobie tych wydarzeń inaczej, niż je przedstawił Matejko. Jednak największą popularność zdobyły powieści historyczne Henryka Sienkiewicza. Pisał, jak sam się wyraził „ku pokrzepieniu serc" – stworzył w *Trylogii* (*Ogniem i mieczem, Potop i Pan Wołodyjowski*) obraz walecznej i rycerskiej Polski szlacheckiej.

Zresztą, wystarczy przeczytać fragment zakończenia *Pana Wołodyjowskiego:*

Autoportret Jana Matejki (Muzeum Narodowe w Warszawie).

Dirce chrześcijańska, mal. Henryk Siemiradzki. Scena walki na arenie rzymskiego cyrku była inspirowana powieścią Henryka Sienkiewicza Quo vadis (Muzeum Narodowe w Warszawie).

Sam pan Sobieski stanął w kapiącym od złota i bisiorów namiocie Husseina – baszy i z niego wieści o szczęśliwym zwycięstwie na wszystkie strony przez lotnych gońców rozsyłał. Za czym zebrały się jazda i piechota, wszystkie chorągwie polskie, litewskie i kozackie, całe wojsko stanęło w bojowej sprawie. Odprawiano dziękczynne nabożeństwo – i na tym samym majdanie, na którym jeszcze dnia wczorajszego muezinowie wykrzykiwali: „Lacha il Allach!" – brzmiała pieśń: Te Deum laudamus [Ciebie Boga wychwalamy].

Hetman słuchał mszy i pieśni krzyżem leżąc, a gdy powstał, łzy radości ciekły mu po dostojnym obliczu. Na ów widok zastępy rycerstwa, nie otarte jeszcze z krwi, drżące jeszcze z wysilenia po bitwie, wydały po trzykroć gromki okrzyk:

– Vivat Joannes victor!!! [Niech żyje Jan zwycięzca!!!]

A w dziesięć lat później, gdy majestat króla Jana III obalił w proch potęgę turecką pod Wiedniem, okrzyk ów powtarzano od mórz do mórz, od gór do gór, wszędy po świecie, gdzie tylko dzwony wołały wiernych na modlitwę...

Henryk Sienkiewicz, *Pan Wołodyjowski*

Władysław Reymont otrzymał literacką nagrodę Nobla za *Chłopów* – powieść o tematyce wiejskiej.

W *Krzyżakach* Sienkiewicz przypominał dzieje konfliktu polsko-niemieckiego „pokrzepiał serca" opisem zwycięskiej bitwy pod Grunwaldem. W chwili, gdy w zaborze pruskim znów narastała fala germanizacji, a łzy po sprawie „dzieci z Wrześni" jeszcze nie obeschły, czyż takie słowa nie brzmiały pokrzepiająco? Oto fragment:

I nie tylko przeniewierczy Zakon krzyżacki leżał oto pokotem u stóp króla, ale cała potęga niemiecka zalewająca dotychczas jak fala nieszczęsne krainy słowiańskie rozbiła się w tym dniu odkupienia o piersi polskie.

Więc tobie, wielka, święta przeszłości, i tobie, krwi ofiarna, niech będzie chwała i cześć po wszystkie czasy!

Henryk Sienkiewicz, *Krzyżacy*

Henryk Sienkiewicz był też pierwszym polskim pisarzem, który otrzymał **literacką Nagrodę Nobla**. Jego najbardziej znaną w świecie powieścią stało się *Quo vadis*. Nawet w tej książce, opowiadającej o dziejach antycznego Rzymu, Sienkiewicz ukazywał szlachetność, bohaterstwo i tężyznę słowiańskich przodków Polaków (Słowianami są siłacz Ursus i jego podopieczna Ligia).

Pomagać najbiedniejszym

Wielu artystów zwracało uwagę na sytuację najbiedniejszych, pokrzywdzonych przez los lub po prostu źle wykształconych. Pisali o tym między innymi Bolesław Prus, Eliza Orzeszkowa i Maria Konopnicka. Trudną codzienność, ale i piękno wsi polskiej przedstawiali malarze Aleksander Kotsis i Józef Chełmoński.

Nowa sztuka

Pod koniec XIX wieku w Krakowie pojawili się malarze i pisarze, którzy tworzyli zupełnie inaczej niż ich poprzednicy. Malarstwo **Józefa Mehoffera** i **Stanisława Wyspiańskiego** było zupełnie inne niż twórczość ich nauczyciela – Jana Matejki. Ale to właśnie oni wprowadzili polską sztukę do salonów

Portret Adama Chmielowskiego, brata Alberta dziś świętego, mal. Leon Wyczółkowski. Adam Chmielowski był malarzem i brał udział w powstaniu styczniowym. Porzucił jednak sztukę, aby zająć się ubogimi. Był założycielem albertynów, którzy prowadzili kuchnie i schroniska dla biedoty miejskiej w Krakowie (klasztor Albertynów w Krakowie).

Obraz *Ostatnia chudoba* Aleksandra Kotsisa przedstawia niedolę biednej i zadłużonej rodziny chłopskiej (Muzeum Narodowe w Warszawie).

Sala posiedzeń Izby Handlowo-Przemysłowej w Krakowie projektu Józefa Mehoffera. Artyści przełomu wieków projektowali bardzo oryginalne wnętrza.

Sztuka dekoracyjna była bardzo popularna wśród młodych polskich artystów. Jednym z jej przykładów były piękne witraże projektowane przez Józefa Mehoffera i Stanisława Wyspiańskiego.

i muzeów Europy. Przeszłość Polski wróciła w nowoczesnych sztukach teatralnych Stanisława Wyspiańskiego. Życie artystów często koncentrowało się w mile urządzonych kawiarniach Krakowa i Lwowa. Do najbardziej znanych należy istniejąca do dziś krakowska kawiarnia Jama Michalika.

Nowe wynalazki

W drugiej połowie XIX wieku polscy naukowcy wiele wnosili do rozwoju cywilizacji. Wtedy upowszechniła się **lampa naftowa** – wynalazek Polaka ze Lwowa, Ignacego Łukaszewicza, stało się to w 1854 roku. Daleko ważniejszy okazał się wynaleziony przez niego sposób destylacji ropy naftowej, z którego skorzystali zwłaszcza Amerykanie. Wielkiego wynalazku dokonali dwaj chemicy z Uniwersytetu Jagiellońskiego – Zygmunt Wróblewski i Karol Olszewski, którzy zdołali skroplić powietrze. O dokonaniach polskich naukowców działających poza ziemiami polskimi przeczytasz w następnym rozdziale (np. o Marii Skłodowskiej-Curie).

Na ziemiach polskich, nawet w najbiedniejszej Galicji, szybko pojawiały się nowe urządzenia techniczne. Na początku XX wieku do wielu, nawet małych, miejscowości można było dojechać koleją. Można też było przesłać wiadomości przy pomocy telegrafu, a z czasem nawet telefonu. W większych miastach działały już wodociągi, a nawet linie elektryczne i tramwaje. Pojawiały się nowe, piękne gmachy teatrów. W Krakowie Teatr Miejski posiadał nawet własną elektrownię, by mógł być pięknie oświetlony, a urządzenia teatralne posiadały odpowiedni napęd. Na ziemiach polskich pojawiły się też pierwsze kina. Na ulicach przechodnie mogli zobaczyć nieliczne jeszcze automobile, a nawet pojechać taksówką. Już w 1908 roku można było podziwiać pierwsze samoloty, a w 1911 roku nawet nauczyć się w Warszawie trudnej sztuki pilotażu. W tamtejszych zakładach „Awiata" budowano już „latające machiny".

Z początkiem XX wieku wielką namiętnością Polaków stała się piłka nożna. Pierwsze drużyny piłkarskie powstały w Galicji (we Lwowie i Krakowie). W 1903 roku powołano klub Czarni Lwów, a rok później Pogoń Lwów. Powstałe w 1906 roku w Krakowie Cracovia i Wisła są dziś najstarszymi klubami piłkarskimi na obecnych ziemiach polskich.

Stanisław Wyspiański, wybitny uczeń Jana Matejki, był znakomitym malarzem, dramaturgiem i poetą. Autoportret (Muzeum Narodowe w Warszawie).

Portret Karola Olszewskiego namalowany przez Leona Wyczółkowskiego (Muzeum Uniwersytetu Jagiellońskiego w Krakowie).

ZAPAMIĘTAJ

W drugiej połowie XIX wieku zmieniły się cele polskiej sztuki i literatury. Twórcy nie nawoływali do walki, ale do solidnej pracy. Polscy naukowcy dokonali wówczas wielu ważnych odkryć i wynalazków.

Ulica Marszałkowska
w Warszawie około 1910 roku.

SŁOWNICZEK

bisior (*byssus*) – ozdobna tkanina

chorągiew (*squadron*) – oddział polskiego wojska, około stu dwudziestu koni lub dwustu piechurów

destylacja (*distillation*) – proces chemiczny, polegający na wyciągnięciu jakiegoś składnika z innego

drżący (*trembling, shaky*) – trzęsący się

dzień odkupienia (*day of redemption*) – dzień darowania win

elektrownia (*power plant*) – zakład produkujący prąd elektryczny

kawiarnia (*café*) – miejsce, gdzie można wypić kawę i porozmawiać

krytyka (*criticism*) – zła ocena, opinia

majdan (*parade ground*) – tu: plac w obozie wojskowym

męczennik (*martyr*) – ktoś, kto poświęca się dla innych

muezin (*muezzin*) – duchowny muzułmański

nowela (*short story*) – krótki utwór pisany prozą

obalić w proch (*to overthrow, to destroy*) – zniszczyć całkowicie

piłka nożna (*soccer*) – gra w piłkę uderzaną nogami (piłka kopana)

pokotem (*side by side*) – leżący jeden obok drugiego

pokrzepienie (*consolation, fortifying*) – wzmocnienie

przeniewierczy (*treacherous*) – zdradliwy

skroplić (*to liquefy*) – zamienić w ciecz

tężyzna (*strength, fitness*) – siła

wizja (*vision*) – tu: stworzony w literaturze obraz przyszłości

zacofanie (*backwardness*) – opóźnienie w stosowaniu nowych wynalazków i urządzeń

zastępy (*hosts*) – oddziały wojskowe

1. Przeczytaj uważnie początek rozdziału. Wypełnij na jego podstawie tabelkę. Zaznacz kolorem tę część tabeli, z której wynika, że niektóre zachowania i dążenia Polaków nie zmieniły się.

Dawniej (przed 1864 rokiem)	Po 1864 roku
Wzywano do walki z zaborcami	
Przygotowywano się do wojny	
Żądano miłości ojczyzny	Żądano miłości ojczyzny
Zawiązywano spiski	
Nie przestrzegano narzuconego przez zaborców prawa	Robiono tylko to, na co prawo pozwalało
Wspominano bohaterską przeszłość	Wspominano bohaterską przeszłość

2. Obejrzyj uważnie obrazy *Piaskarze* i *Orka na Ukrainie*. Co jest ich tematem, jak temat został ukazany? Napisz o tym kilka uwag. Użyj słów: *codzienne czynności, praca, gra kolorów, piękno wysiłku*.

....

....

....

....

....

....

....

....

....

3. Przyporządkuj za pomocą strzałek twórcę do dzieła (lub kilku dzieł).

Hołd Pruski

Henryk Sienkiewicz

witraże

Stanisław Wyspiański

Krzyżacy

Jan Matejko

Pan Wołodyjowski

Bitwa pod Grunwaldem

4. Uzupełnij tekst korzystając z wyrazów: *samochodem, kolej żelazna, wynalazków, automobilem, telefon, telegraf, tramwaje, Lwowie, wodociągi, lampa naftowa, linie elektryczne.*

Polacy pomimo niewoli korzystali z większości najnowszych ....

Szybko w Polsce pojawiła się ...., przyspieszając

podróże i przewóz towarów. Zupełnie nowym wynalazkiem na początku XX wieku był

pojazd zwany wówczas ...., a dziś

.... Do porozumiewania się na odległość służył

...., a dużo później ....

W miastach działały .... , ... oraz

pojawiły się pierwsze .... Najbardziej znanym polskim

wynalazkiem była .... wynaleziona przez

Ignacego Łukaszewicza we ....

5. Wypisz z rozdziału wymienione tam wynalazki. Podziel je na dwie grupy:

Stosowane do dziś	Już nieużywane
wodociągi	telegraf

6. Przeczytaj fragmenty „powieści ku pokrzepieniu serc", np. autorstwa Henryka Sienkiewicza. Wypisz z nich po dwa cytaty, które według Ciebie powinny właśnie „pokrzepiać serca".

....
....
....
....
....
....
....
....
....
....

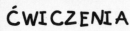

7. Rozwiąż krzyżówkę. Ciemniejsze pola utworzą rozwiązanie, które stanowi nazwa epoki.

1. Nazwisko poetki, autorki *Roty*
2. Imię Prusa, znanego polskiego pisarza
3. Nazwa pierwszego polskiego klubu piłki nożnej
4. Powieść, która miała pocieszyć Polaków w czasach, gdy pojawiła się „sprawa dzieci z Wrześni"
5. Nazwisko malarza scen historycznych
6. Imię Wróblewskiego, wybitnego chemika
7. Miejscowość, koło której rozegrała się bitwa przedstawiona przez Matejkę i Sienkiewicza
8. Nazwisko autora *Quo vadis*
9. Imię Orzeszkowej, autorki powieści *Nad Niemnem*
10. Nazwisko autora powieści *Chłopi*

Odczytaj hasło z ciemniejszych kratek: ....

8. Ułóż rozsypankę.

Hen mał kiewicz Nob ryk liter rodę Sien otrzy la Nag acką

....

Polonia w Nowym Świecie (XVII–XIX wiek)

Polscy pionierzy

Polacy mieszkają nie tylko w Polsce. Wiesz już o tym, bo czytałeś o emigrantach, którzy musieli wyjeżdżać z kraju po powstaniach. Ale Polacy opuszczali Polskę nie tylko dlatego, że byli prześladowani przez wrogów. Często wyjeżdżali by szukać pracy, poprawić warunki życia, czy nawet w poszukiwaniu przygód. W ten sposób powstawała **Polonia**, czyli społeczność Polaków poza krajem.

Dzieje Polonii zaczęły się znacznie wcześniej, niż wydarzenia opisywane w tej książce. Już w **1608 roku** na pokładzie jednego z pierwszych angielskich statków płynących do Virginii dotarli do Ameryki pierwsi Polacy. Zostali tu zaproszeni jako specjaliści. Nikt tak dobrze jak oni nie robił wówczas w Europie smoły, węgla drzewnego, terpentyny i mydła. Dlatego jeden z pierwszych kolonizatorów Ameryki, kapitan John Smith przewiózł na statku „Mary and Margaret" kilku polskich rzemieślników do kolonii **Jamestown**. W 1619 roku było tam już 50 Polaków. Zajmowali się przerabianiem drewna na bardzo potrzebne kolonii towary – mydło, smołę do uszczelniania łodzi, beczek i dachów, węgiel drzewny dla huty żelaza, terpentyny do farb, potażu (czyli drzewnego popiołu) niezbędnego do produkcji tkanin. Polacy założyli też pierwszą hutę szkła w kolonii. Dziś w tym miejscu znajduje się kopia dawnej huty i muzeum. Ta pierwsza polska społeczność w Ameryce stała się sławna nie tylko dlatego, że była bardzo potrzebna. Polacy pokazali pod przywództwem **Michała Łowickiego**, że potrafią walczyć o swoje prawa.

> *Michał Łowicki był jedynym polskim szlachcicem wśród rzemieślników w kolonii Jamestown. Z powodu szlacheckiego pochodzenia został wybrany przywódcą walki o równe prawa dla kolonistów – Polaków. Miał doświadczenie w prowadzeniu rozmów politycznych i uzyskał dla swoich rodaków to, czego żądali.*

Gdy w pierwszych wyborach w kolonii Polakom nie pozwolono głosować, wszyscy przerwali pracę. W kolonii szybko brakło mydła i innych ważnych produktów. Gubernator zgodził się, by Polacy mogli głosować. Przez prawie dwa wieki do Ameryki docierali kolejni Polacy, choć nie było ich zbyt wielu. Do najbardziej znanych należał pracujący dla Holendrów w Nowym Amsterdamie (dzisiejszym Nowym Jorku) polski profesor łaciny Aleksander Kurczewski (Curtiss). W wojnie o niepodległość Stanów Zjednoczonych Polacy wzięli znaczący udział (przypomnij sobie przynajmniej dwóch z nich – Kościuszkę i Pułaskiego). Nie odmieniło to jednak losów Polonii. Była to nadal niezbyt liczna grupa.

Kościół Św. Jana Kantego w Chicago (Muzeum Polskie w Chicago).

Zajazd Władysława Kloski na rogu ulic Noble i Division w 1890 roku (Muzeum Polskie w Chicago).

Polskie osady w USA

Pierwsza polska osada w USA powstała w Parisville w stanie Michigan, w latach 40-tych XIX wieku. Nie wiemy o niej dużo. Za to więcej możemy powiedzieć o pierwszej osadzie w Teksasie. Pierwszych kilkuset osadników ze Śląska ściągnął tam ksiądz **Leopold Moczygemba**, który od 1852 roku był kapłanem wśród osadników niemieckich. Wysyłał listy do swych przyjaciół, Polaków ze Śląska. Opisywał, że w Teksasie jest bardzo dużo urodzajnej ziemi. Brakowało jej wówczas w wielu śląskich wsiach, a śląscy chłopi mieli dużo potomstwa. Gospodarstwa były dzielone na coraz mniejsze i mniejsze, panowała więc straszna bieda. Dlatego księdzu Moczygembie udało się namówić około 800 Polaków do wyjazdu do Ameryki. W 1854 roku dopłynęli oni do Zatoki Meksykańskiej. Wkrótce założyli w Teksasie osadę **Panna Maria**, pierwszą bardziej znaną osadę polską w USA. Nie spodziewali się, że nowe życie będzie tak ciężkie. Musieli zacząć wszystko od początku, walczyli z suszą i bandytami rabującymi wszystko, co udało się wyhodować. W końcu zrozpaczeni postanowili powiesić księdza Moczygembę na tym samym drzewie, pod którym wcześniej odprawił pierwszą mszę.

Na szczęście dla dzielnego księdza w ostatniej chwili zrezygnowali z tego zamiaru, a nawet dali się nakłonić do budowy szkoły i kościoła. Kiedy ksiądz musiał wyjechać z osady wezwany przez swych zwierzchników, polscy osadnicy żegnali go z żalem.

W wojnie secesyjnej

Coraz więcej Polaków przybywało do USA, dlatego Polonia w czasie wojny secesyjnej była już dość liczna – blisko pięć tysięcy Polaków walczyło w tym konflikcie, a największą sławą okrył się pułkownik (później generał) **Włodzimierz Krzyżanowski**. Bohaterską śmiercią zginął podczas tej wojny inżynier kolejowy i geograf kapitan Aleksander Bielaski. Ale spośród polonijnych bohaterów wojny secesyjnej najciekawszą postacią był chyba pułkownik Tadeusz Sobieski, twórca amerykańskich wojsk balonowych. Był jednym z pierwszych wojskowych na świecie, którzy użyli balonów do celów wojennych. W 1861 roku nadał z powietrza pierwszą depeszę telegraficzną do prezydenta Lincolna. Były to narodziny wojskowego lotnictwa, na długo przed lotem pierwszego samolotu.

Generał Włodzimierz Krzyżanowski był dowódcą 58th New York Volunteer Infantry. Pułk ten był złożony z Polaków i nazywany był Polskim Legionem. Krzyżanowski walczył w tak ważnych bitwach jak pod Bull Run, pod Chancelorsville i pod Gettysburgiem. Zasługi jego były wielkie, ale dwa razy Kongres odmówił mu awansu na generała. Stało się tak dlatego, że żaden z senatorów nie potrafił wymówić jego nazwiska. Los generała pokazywał, jak trudne były dzieje Polonii w XIX wieku. Tym, którzy nauczyli się mówić po angielsku życie utrudniały polskie nazwiska.

Wielki napływ Polaków

Polonia stała się naprawdę liczną społecznością w latach 70-tych XIX wieku. Wówczas przyjechało do USA ponad 150 tysięcy Polaków, a do 1914 roku przybyło ich w sumie ponad 2 miliony. Razem z tymi, którzy się już w Ameryce urodzili, dawało to razem **3 miliony**. Przybywali zwykle ludzie prości, którym po prostu brakowało w ojczyźnie chleba i szukali go za oceanem. Czekał ich ciężki los, bo o pracę nie było łatwo, chyba że ktoś udał się na daleki zachód. Przybysze nie znali języka, nie mieli poszukiwanego tu zawodu i musieli wykonywać najcięższe, najgorzej płatne prace – w kopalniach, dokach i fabrykach. Z czasem jednak powoli zagospodarowywali się w nowym miejscu, poznawali język i obyczaje. Otwierali własne sklepy i fabryki – w branży konfekcyjnej (czyli krawieckiej i szewskiej), budownictwie, browarnictwie. Zakładali własne sklepy i bary, a nawet pierwsze banki. Do 1918 roku polskich przedsiębiorstw było w USA blisko 15 tysięcy.

Polacy najczęściej osiadali w stanach: Illinois, Michigan i Ohio oraz Nowy Jork, Massachusettes, Connecticut i w Pensylwanii. Największymi „polskimi" miastami były: Chicago, Nowy Jork, Detroit, Buffalo i Milwaukee. Tak wielkie skupiska Polaków przyciągały wybitnych polskich twórców. Przez pewien czas przebywał tu Henryk Sienkiewicz, na długo związała się z Ameryką **Helena Modrzejewska (Modjeska)**.

Portret Heleny Modrzejewskiej namalowany przez Tadeusza Ajdukiewicza (Muzeum Narodowe w Krakowie).

Helena Modrzejewska na scenie w Nowym Jorku, 1878 rok (Muzeum Polskie w Chicago).

Helena Modrzejewska w roli Marii Stuart (Muzeum Polskie w Chicago).

Plakat przedstawiający Helenę Modrzejewską (Muzeum Polskie w Chicago).

Helena Modrzejewska – znakomita aktorka – początkowo wyjechała z mężem do USA, aby nieco odpocząć od grania na scenie. Okazało się jednak, że nie mogła żyć bez swego zajęcia, nawet przez krótki okres czasu. Po kilku występach dla Polonii, rozpoczęła nadzwyczajną karierę grając wielkie role szekspirowskie w największych teatrach Stanów Zjednoczonych. Syn Heleny Modrzejewskiej, Ralph Modjeski, był jednym z najbardziej znanych budowniczych mostów w Ameryce (zaprojektował m.in. wielki most Philadelphia – Camden na rzece Delaware).

Zachowany pokój
Ignacego Paderewskiego
(Muzeum Polskie
w Chicago).

Pióro Ignacego
Paderewskiego,
którym według
tradycji podpisał
pokojowy
traktat wersalski
w 1919 roku
(Muzeum Polskie
w Chicago).

Oprócz Modrzejewskiej na amerykańskich scenach popularna była śpiewaczka Marcella Sembrich-Kochańska. Najsłynniejszym jednak przedstawicielem Polonii amerykańskiej był **Ignacy Jan Paderewski**, znakomity muzyk i kompozytor, a także wybitny polityk (przeczytasz o nim w następnych rozdziałach). Był wówczas tak popularny w Ameryce, jak w drugiej połowie XX wieku Elvis Presley czy Michael Jackson.

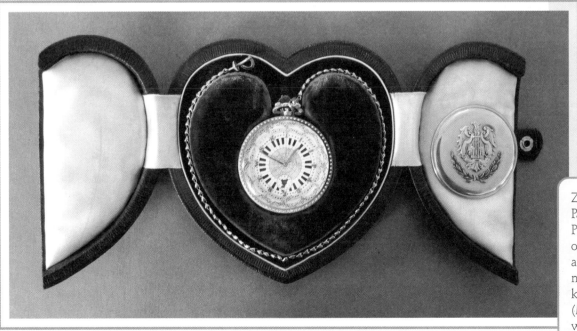

Zegarek Ignacego
Paderewskiego.
Prezent
od Polonii
amerykańskiej
na 75 urodziny
kompozytora
(Muzeum Polskie
w Chicago).

Organizacje Polonii

Kiedy Polonia stała się bardzo liczną grupą zaczęły powstawać jej pierwsze organizacje. Początkowo były niewielkie i tworzyły się przy parafiach. Księża byli i często do dziś są najważniejszymi organizatorami życia Polonii. Dlatego tak ważnym wydarzeniem było wyświęcenie w 1908 roku polskiego biskupa.

W 1873 roku utworzono w **Chicago** wielką organizację, istniejącą do dziś – **Zjednoczenie Polskie Rzymsko-Katolickie**. Twórcą tej organizacji był znany nam już ksiądz Leopold Moczygemba.

Leopold Moczygemba urodził się w 1824 roku w Płużnicy na Górnym Śląsku. Był franciszkaninem. W 1852 roku przybył do USA, gdzie opiekował się niemieckimi katolikami. Sprowadził wielu polskich osadników, stworzył pierwszą polską osadę (Panna Maria w Teksasie). Potem działał w całych Stanach Zjednoczonych, założył dziesiątki szkół i organizacji. Był twórcą polskiego seminarium duchownego (Saints Cyril and Methodius Seminary w Orchard Lake, Michigan). Zmarł w 1891 roku.

Drugą wielką organizacją istniejącą do dziś jest założony w 1880 roku **Związek Narodowy Polski**. Wkrótce dołączyły do nich Związek Polek i gimnastyczno-wojskowy Związek Sokołów Polskich w Ameryce.

Działanie polskich organizacji wspierała prasa – w drugiej połowie XIX wieku najbardziej popularnymi tytułami były: „Gazeta Polska Chicagowska", „Gazeta Polska Katolicka" i „Orzeł Polski". „Gazeta Polska Chicagowska" wychodziła w większym nakładzie niż jakikolwiek polski dziennik wydawany na ziemiach polskich.

Wnętrze kościoła Świętej Trójcy w Chicago (Muzeum Polskie w Chicago).

Polonia w Kanadzie i w Brazylii w XIX wieku

Polonia w **Kanadzie** pojawiła się już w połowie XVIII wieku. Pierwsza wzmianka o Polaku w Kanadzie pochodzi z 1752 roku, kiedy to w Montrealu Dominik Barcz, rodem z Gdańska, ożenił się z panną Thérèse Filiau. Dominik Barcz był prawdopodobnie szanowanym kupcem

Sir Kazimierz Gzowski był powstańcem listopadowym, w 1834 roku przybył do Ameryki, a od 1846 roku stał się obywatelem Kanady. Kierował budową pierwszej linii kolejowej, łączącej Kanadę i USA, potem zaprojektował most nad rzeką Niagara, uważany za jeden z najdoskonalszych w tym czasie. Most połączył Fort Erie (Kanada) i Buffalo (USA). Obok wodospadu Niagara jest dziś park imienia Gzowskiego. Za swoje dokonania inżynier Gzowski otrzymał od królowej Wiktorii tytuł szlachecki.

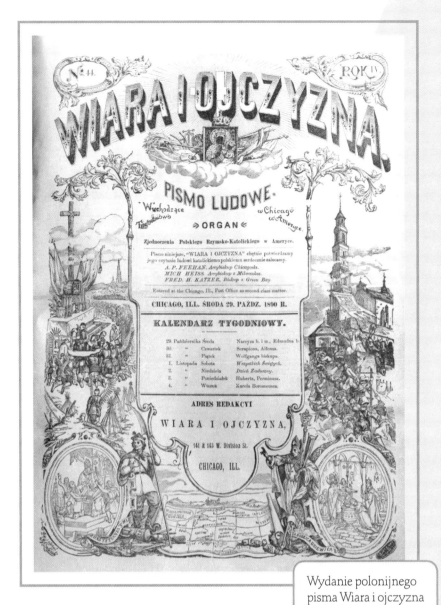

Wydanie polonijnego pisma Wiara i ojczyzna z 29 października 1890 roku (Muzeum Polskie w Chicago).

i handlował futrami. Później przybywali tu coraz liczniejsi Polacy, z których najbardziej znany był inżynier **Kazimierz Gzowski.**

Pod koniec XIX wieku było już w Kanadzie około 119 tysięcy Polaków. Pierwsza polska parafia w tym kraju powstała w 1875 roku w **Hagarty** (Kaszuby Ontaryjskie). Wokół samotnej kaplicy powstała osada, którą polski proboszcz nazwał Wilnem.

W prowincjach Manitoba, Saskatchewan, Alberta większość polskich imigrantów gospodarowała na roli. W miastach zaś (Montréal, Toronto, Hamilton, Winnipeg czy Edmonton) zajmowano się pracą w przemyśle. Pierwsze organizacje Polonii kanadyjskiej powstawały przy parafiach. Z czasem w miastach tworzyły się też większe organizacje (patriotyczno-narodowe, oświatowe, kulturalne, towarzyskie czy samopomocowe). Polaków przybywało coraz więcej – w samym 1901 roku przybyło ich przeszło 67 tysięcy. Wielkie dni Polonii kanadyjskiej miały nadejść w XX wieku. Ale o tym przeczytasz w następnym podręczniku.

Znacznie słabsze ośrodki wytworzyli polscy emigranci w **Brazylii**, przede wszystkim dlatego, że było ich tam dużo mniej niż w USA, choć nie mniej niż w Kanadzie. Ale i oni mieli swoje osiągnięcia – opracowali m.in. rewelacyjny elementarz polsko-portugalski.

We francuskich laboratoriach

Maria Skłodowska-Curie choć największe sukcesy naukowe osiągnęła we Francji utrzymywała liczne kontakty z Polakami na całym świecie.

Polacy nadal wyjeżdżali także do Europy Zachodniej. Wielu zatrudniało się przy sezonowych pracach w Niemczech, część osiadała w Szwajcarii. Popularna w pierwszej połowie XIX wieku Francja traciła znaczenie jako ośrodek emigracyjny. Polacy przestali być tam mile widziani, gdyż tamtejsze władze uważały ich za ciągłych buntowników, czego dowodem miał być udział Polaków w różnych rewolucjach. Tak naprawdę jednak Francja chciała utrzymać dobre kontakty z Rosją, dlatego otwarcie okazywała niechęć Polakom. Polacy jeździli więc tam niemal wyłącznie na studia. Bardzo ciekawa była historia **Marii Skłodowskiej**, młodej uczonej, której nie pozwolono pisać pracy doktorskiej w Polsce. Wyjechała więc do Paryża i kontynuowała dalsze studia z dziedziny fizyki i chemii. Podjęła się pionierskich badań nad promieniotwórczością, wraz z mężem Piotrem Curie odkryła dwa pierwiastki: Polon i Rad. Otrzymała dwukrotnie **Nagrodę Nobla** (z dziedziny fizyki w 1903 i chemii w 1911 roku) i po dziś dzień pozostaje najbardziej utytułowanym polskim uczonym w dziedzinie nauk ścisłych.

Polscy inżynierowie zadziwiają świat

Po powstaniu styczniowym wyjechało z kraju wielu ludzi o bardzo wysokich kwalifikacjach. Często nie mogli już wrócić do kraju lub po prostu nie było tu dla nich pracy. Najciekawszymi postaciami z tego grona byli dwaj inżynierowie – **Ernest Malinowski** i **Ignacy Domeyko**. Pierwszy z nich działał w **Peru** i mocno przyczynił się do unowocześnienia tego kraju. Wybudował najwyżej na świecie położoną linię kolejową, przecinającą Andy. Do dziś jest ona uznawana za cud techniki, a jej konstrukcja była niemal równie skomplikowana, jak budowa Kanału Panamskiego. Stworzył też umocnienia, które pozwoliły Peruwiańczykom odeprzeć hiszpański najazd. Ignacy Domeyko był przyjacielem Mickiewicza z czasów studiów. Zmuszony do emigracji dotarł w 1838 roku do **Chile**, gdzie stał się ojcem tamtejszego górnictwa. Zorganizował je i szkolił przyszłych górników jako profesor kolegium górniczego w La Serena, a potem w Santiago. Doprowadził uniwersytet w Santiago do rozkwitu, stworzył w Chile służbę meteorologiczną i przygotował pierwszą geologiczną mapę kraju. Jego imieniem nazwano w Chile miasto i pasmo górskie.

Zesłańcy i naukowcy

Wielu polskich naukowców po powstaniu styczniowym zesłano na **Syberię**. Nie mając możliwości podejmowania innych działań zajęli się badaniami okolic, w których przebywali. Niektóre ich prace dotyczące Syberii są po dziś dzień najciekawszymi opisami tej dalekiej krainy. Wielkiego dzieła dokonał tam Jan Czerski badając geologię gór Syberii (najwyższe pasmo gór północno-wschodniej Syberii to Góry Czerskiego, sprawdź w atlasie!). Podobne prace prowadził Aleksander Czekanowski – badał okolice Bajkału oraz opisał góry w Jakucji (ich pasmo nosi nazwę Gór Czekanowskiego). Wielu Polaków prowadziło badania antropologiczne i językowe wśród ludów Syberii – wśród nich pisarz Wacław Sieroszewski i Edward Piekarski.

Byli też naukowcy, którzy wyprawiali się w najdalsze zakątki świata po prostu z naukowej ciekawości. **Paweł Edmund Strzelecki** przeprowadził gruntowne badania geograficzne Australii (nazywany jest „Australijskim Livingstonem") i nazwał najwyższą górę tego kontynentu Górą Kościuszki (sprawdź w atlasie!), natomiast **Bronisław Malinowski** przeprowadził ważne badania wśród ludów Pacyfiku. Opisał ich zwyczaje, religie i system społeczny. Najważniejsza była jednak metoda, przy pomocy której prowadził badania. Dotychczas naukowcy opisywali ludy zwane „dzikimi" siedząc w zacisznych gabinetach na uczelniach i zestawiając relacje żeglarzy oraz kupców. Malinowski zaproponował nowy sposób badania stosowany do dziś – mieszkał wśród tubylców i uczestniczył w ich życiu opisując to, czego sam doświadczył.

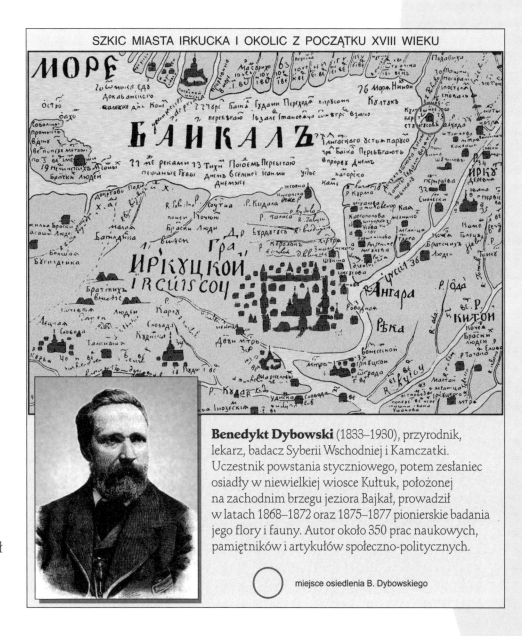

SZKIC MIASTA IRKUCKA I OKOLIC Z POCZĄTKU XVIII WIEKU

Benedykt Dybowski (1833–1930), przyrodnik, lekarz, badacz Syberii Wschodniej i Kamczatki. Uczestnik powstania styczniowego, potem zesłaniec osiadły w niewielkiej wiosce Kułtuk, położonej na zachodnim brzegu jeziora Bajkał, prowadził w latach 1868–1872 oraz 1875–1877 pionierskie badania jego flory i fauny. Autor około 350 prac naukowych, pamiętników i artykułów społeczno-politycznych.

○ miejsce osiedlenia B. Dybowskiego

ZAPAMIĘTAJ

Polscy emigranci w drugiej połowie XIX wieku docierali niemal na wszystkie kontynenty. W wielu miejscach, zwłaszcza w Stanach Zjednoczonych tworzyli liczne, prężnie działające wspólnoty.

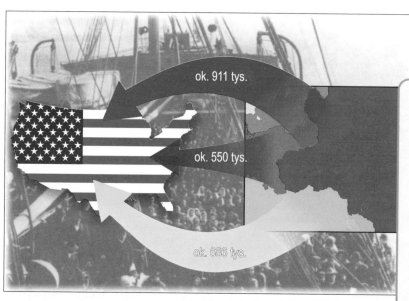

Emigracja zarobkowa z ziem polskich pod zaborami stała się w drugiej połowie XIX wieku i na początku XX wieku ważnym zjawiskiem społecznym. Największą popularnością wśród Polaków cieszyły się Stany Zjednoczone. Ruch emigracyjny do Stanów Zjednoczonych rozpoczął się w zaborze pruskim. Od połowy lat 70. XIX wieku większość polskich emigrantów w Ameryce pochodziła już z zaboru rosyjskiego i austriackiego. Najwięcej Polaków przybyło do Stanów Zjednoczonych w latach 1890–1900. Wykres przedstawia szacunkowe liczby emigrantów polskich z trzech zaborów przybyłych do Ameryki w latach 1870–1914.

■ emigracja z zaboru rosyjskiego

■ emigracja z zaboru pruskiego

■ emigracja z zaboru austriackiego

SŁOWNICZEK

antropologia (*anthropology*) – nauka o człowieku, jego budowie i zachowaniach (antropologia społeczna)

branża konfekcyjna (*garment manufacture*) – wytwarzanie i handel ubraniami i bielizną

browarnictwo (*brewing industry*) – produkcja piwa

doki (*docks*) – budowla lub urządzenie pływające do budowy lub remontu statków

geologia (*geology*) – nauka o konstrukcji ziemi

honorarium (*fee, remuneration*) – pieniądze należne za pracę (tu: artystyczną)

kolonia (*colony*) – terytorium należące do jakiegoś kraju, najczęściej zdobyte w walkach z tubylcami

most (*bridge*) – konstrukcja łącząca dwa brzegi rzeki

pierwiastek (*element*) – podstawowa substancja chemiczna

przeludniony (*overpopulated*) – zamieszkały przez zbyt wielu ludzi

1. Przeczytaj uważnie tekst porównujący emigrację do krajów europejskich z emigracją do Stanów Zjednoczonych. Dokończ zdania używając podanych wyrazów: *bardzo ciężkie, trudniejszy, ojczyznę, chleba, pracy, wolności.*

Dojazd do Ameryki był .... niż do krajów europejskich.

Życie w Ameryce było na początku ....

Polacy szukali w Ameryce ...., ...

i ....

Polacy uważali Amerykę za swą drugą ....

2. Połącz strzałkami nazwiska twórców (naukowców) z nazwami ich zajęć.

Helena Modrzejewska (Modjeska)	fizyk
Maria Skłodowska-Curie	chemik
Paweł Edmund Strzelecki	geolog
Jan Czerski	geograf
Bronisław Malinowski	inżynier
Ernest Malinowski	ksiądz, działacz polonijny
Ignacy Paderewski	badacz ludów (antropolog)
Leopold Moczygemba	pianista i kompozytor
	aktorka

ĆWICZENIA

3. Wypisz z mapy Stanów Zjednoczonych nazwy 4 miast, które zostały im nadane przez polskich emigrantów. Poznasz je po tym, że albo pochodzą od nazw miast leżących w Polsce, albo od polskich nazwisk, albo też są ułożone w języku polskim.

....

4. Wymień dwie najważniejsze organizacje Polonii w XIX wieku:

1) ....

2) ....

5. Połącz strzałkami najwybitniejszych przedstawicieli Polonii z krajami, w jakich pracowali:

Paweł E. Strzelecki	USA
Ignacy Domeyko	
Kazimierz Gzowski	Australia
Ralph Modjeski	Wyspy Triobrianda na Pacyfiku
Ernest Malinowski	
Bronisław Malinowski	Chile
Włodzimierz Krzyżanowski	Peru

6. Wypisz z tekstu rozdziału najważniejsze przyczyny emigracji.

a) ....

b) ....

c) ....

W zaborczych armiach

Sięgnij do rozdziału 4 i przypomnij sobie treść *Litanii pielgrzymskiej* napisanej przez Mickiewicza. Była ona modlitwą o nadejście „wojny powszechnej", w której zaborcy będą walczyć przeciw sobie. Wojna taka wybuchła w **1914 roku** i do dziś nosi nazwę pierwszej wojny światowej. Polacy byli siłą wcielani do armii zaborców, często więc ci z armii rosyjskiej strzelali do Polaków z armii niemieckiej lub austriackiej.

Jak wyciągnąć z tej sytuacji korzyści dla sprawy polskiej? Już w 1908 roku przygotowane były dwa całkowicie różne sposoby działań na wypadek wybuchu wojny. **Roman Dmowski** uważał, że wszyscy Polacy powinni stanąć do walki u boku **Rosji**. To nie ona jest głównym wrogiem Polaków, lecz Prusy – dowodził przypominając akcję wykupu ziemi, sprawę dzieci z Wrześni itp.

Inną drogę działania proponował **Józef Piłsudski**, przywódca polskich organizacji niepodległościowych. Wzywał do walki u boku **Austriaków**, przygotowywał ochotników do powstania przeciw Rosji. Tłumaczył, że w przyszłej wojnie najpierw Niemcy z Austrią pokonają Rosję, a potem zostaną pobici przez państwa zachodnie.

Roman Dmowski był obok Józefa Piłsudskiego jednym z najwybitniejszych polskich polityków.

Legiony Józefa Piłsudskiego

Po wybuchu wojny obydwie grupy polskich polityków zaczęły tworzyć swoje oddziały wojskowe. Legion Puławski formowany po stronie Rosji został po prostu wcielony do armii rosyjskiej. Rosjanie nie życzyli sobie istnienia osobnej armii polskiej. Większy sukces osiągnął Piłsudski. Nie udało mu się wywołać powstania, ale za to stworzył **Legiony Polskie**. Przeszły one wspaniały szlak bojowy, choć nie wszyscy Polacy doceniali ich wysiłek.

Józef Piłsudski pochodził z Litwy. Zanim został jednym z dowódców Legionów Polskich był działaczem Polskiej Partii Socjalistycznej.

Poczucie osamotnienia legionistów stało się przyczyną powstania jednej z najbardziej przejmujących polskich pieśni:

My, Pierwsza Brygada (słowa Tadeusza Biernackiego)

Legiony to – żebracza nuta.
Legiony to – ofiarny stos.
Legiony to – żołnierska buta.
Legiony to – straceńców los!
 My Pierwsza Brygada,
 Strzelecka gromada,
 Na stos rzuciliśmy – swój życia los
 Na stos, na stos...

O, ile mąk, ile cierpienia,
O, ile krwi, wylanych łez.
Pomimo to – nie ma zwątpienia,
Dodawał sił – wędrówki kres!
 My Pierwsza Brygada itd.

Legiony biły się świetnie, czym zyskały szacunek Austriaków i Niemców. Piłsudski myślał już jednak o drugim etapie swojego planu – dlatego obok Legionów założył tajną Polską Organizację Wojskową (POW). Ta siła mogła się przydać, gdyby Polacy ruszyli przeciw Niemcom.

Tymczasem Niemcy były osłabione – poniosły w wojnie wielkie straty w ludziach. Na terenach odebranych Rosjanom władze niemieckie ustanowiły więc niesamodzielne państwo nazwane **Królestwem Polskim**. Nie miało nawet ustalonych granic, Niemcom chodziło jedynie o to, by państwo to miało armię, tak dzielną jak Legiony. Tę armię zamierzali oczywiście wykorzystać. Plany niemieckie wzbudziły obawy Rosjan. Żeby pozyskać Polaków do swoich celów, władze rosyjskie obiecały również utworzenie państwa polskiego, które jednak też nie miało być samodzielne. Decyzja Rosjan nie miała zresztą większego znaczenia, bo w 1917 roku nie panowali już na ziemiach polskich. Tymczasem polskie wojsko stało się w Europie bardzo pożądane, bo żołnierzy brakowało także Francuzom. Oni również postanowili stworzyć polską armię.

Odznaka tajnej Polskiej Organizacji Wojskowej. Jej członkowie odegrali ważną rolę w odbudowie niepodległego państwa polskiego.

Jak za Napoleona – Błękitna Armia Józefa Hallera

W 1917 roku **we Francji** zaczęła powstawać **ochotnicza armia polska** złożona z emigrantów i polskich jeńców. Dowodził nią **gen. Józef Haller**, który wcześniej był jednym z dowódców Legionów, a później przedostał się

Legiony Polskie walczyły przede wszystkim przeciw Rosjanom w latach 1915–1916.

na Zachód. Jednak armia ta powstała głównie dzięki kompozytorowi i pianiście **Ignacemu Paderewskiemu**. Wytrwale podróżował on po Stanach Zjednoczonych i Kanadzie, dawał koncerty i nakłaniał emigrantów do wstępowania w szeregi polskiego wojska we Francji. W tworzeniu armii pomógł też **Roman Dmowski**, który był znany jako działacz prorosyjski. Kiedy Rosja pogrążyła się w chaosie rewolucji Dmowski uznał, że Polacy muszą stanąć po stronie państw zachodnich.

Paderewski i Dmowski osiągnęli wielki sukces. Armia generała Hallera (od koloru mundurów zwana **Błękitną Armią**) rosła błyskawicznie i w 1918 roku liczyła blisko 80 tysięcy żołnierzy. Do walk weszła ona w końcowej, najbardziej zaciętej części I wojny światowej, a żołnierze generała Hallera wykazali się wielką odwagą.

Szkolenie polskich żołnierzy w Stanach Zjednoczonych. Polonia amerykańska z entuzjazmem przyjęła utworzenie Armii Hallera we Francji. Liczba ochotników ze Stanów Zjednoczonych i Kanady do końca 1919 roku przekroczyła 20 tysięcy żołnierzy.

W kraju tymczasem, w 1917 roku, Austriacy, i Niemcy zażądali od wojska Piłsudskiego

Rozbrajanie Niemców przed Główną Komendą na placu Saskim w Warszawie, mal. Stanisław Bagieński (Muzeum Wojska Polskiego w Warszawie).

złożenia przysięgi wierności. Polacy odmówili i Piłsudski został uwięziony, a jego żołnierze – internowani. Dzięki temu rosła legenda Piłsudskiego jako wodza walki o niepodległość i nieugiętego przywódcy. Kiedy Niemcy uznali, że wojna jest przegrana wypuścili go, a **11 listopada 1918 roku** zaczęli

Przysięga oddziałów Błękitnej Armii gen. Józefa Hallera. Pod koniec wojny w 1918 roku armia ta liczyła 70 tysięcy żołnierzy.

opuszczać teren Królestwa Polskiego. Większość niemieckich żołnierzy bardzo się cieszyła z tego, że krwawa wojna dobiegła końca. Tymczasem dla Polaków dopiero się zaczynała. Nowo powstałe państwo nie miało jeszcze granic, które trzeba było wywalczyć lub wynegocjować.

Ignacy Paderewski oraz prezydent Thomas Woodrow Wilson omawiają przebieg przyszłych polskich granic. Dzięki temu, że Paderwski znał prezydenta osobiście łatwiej było mu uzyskać korzyści dla Polski.

„Wygrać Polskę na fortepianie i przy konferencyjnym stole" – Ignacy Paderewski i prezydent Woodrow Wilson

Już w grudniu 1917 roku dzięki namowom Ignacego Paderewskiego, **prezydent Thomas Woodrow Wilson** ogłosił w swoim orędziu, że jednym ze skutków wojny ma być **odbudowa Polski**. Była to bardzo ważna decyzja zmuszająca państwa zachodnie do zagwarantowania odbudowy państwa polskiego.

Zasługi Paderewskiego dla sprawy polskiej były ogromne. Dzięki temu został on drugim z kolei premierem (szefem rządu) w dziejach odrodzonej Polski, a kiedy zebrała się konferencja w Paryżu, Ignacy Paderewski był najważniejszym przedstawicielem Polski. To jego zabiegom i staraniom Polska zawdzięczała przyznanie jej Pomorza Gdańskiego.

31 października 1918 roku mieszkańcy Krakowa przejęli kontrolę nad miastem. Austriaccy żołnierze opuścili zabudowania nieistniejącego już dzisiaj ratusza, na którym wywieszono polskie flagi. Obraz Klemensa Bąkowskiego (Muzeum Historyczne Miasta Krakowa).

ZAPAMIĘTAJ

Polacy podczas I wojny światowej podjęli walkę o niepodległość walcząc po obydwóch stronach. Po stronie austriacko-niemieckiej walczyli legioniści Piłsudskiego. Po stronie aliantów walczyli żołnierze gen. Hallera. Dzięki ich wysiłkom odbudowano w 1918 roku państwo polskie.

SŁOWNICZEK

błękitny (*light blue*) – jasnoniebieski

dzielny (*brave*) – odważny, bohaterski

legion – tu: jednostka wojskowa, działająca przy jakiejś innej armii

osamotnienie (*loneliness*) – tu: samotna walka

przysięga wierności (*pledge of allegiance*) – ślubowanie wiary i posłuszeństwa

rewolucja (*revolution*) – krwawy przewrót, zmiana władzy

straty w ludziach (*losses in men*) – zabici i ranni podczas wojny

szlak bojowy (*combat trail*) – droga, którą przechodzą wojska podczas walk

wcielić (*to incorporate*) – tu: włączyć do jakiejś armii

wojna światowa (*world war*) – wojna, w której bierze udział wiele państw z całego świata

1. Przeczytaj uważnie tekst pieśni *My Pierwsza Brygada*. Nazwij dwa uczucia,

które wyraża pieśń: *duma* i *odwaga* .

2. Uzupełnij tekst korzystając z wyrazów: ~~niepodległość, Rosji, Austro-Węgier, frontach,~~ ~~państwo~~.

Polacy za wszelką cenę starali się odzyskać *niepodległość* . Oznaczało

to walkę na różnych *frontach* I wojny światowej. Polacy walczyli zarówno

po stronie *Rosji* , jak i po stronie *Autro-Węgier* .

Pozwoliło to później stworzyć przyszłe *państwo* . ✓

3. Rozwiąż krzyżówkę:

1. Nazwisko generała dowodzącego wojskami polskimi we Francji
2. Słynny muzyk, patriota i wielki polityk
3. Oddział wojskowy upamiętniony w pieśni *My, Pierwsza...*
4. Nazwisko prezydenta USA rządzącego w czasie I wojny światowej
5. Państwo, o które walczyli legioniści
6. W tym państwie powstała Błękitna Armia
7. Ktoś, kto ma pełne prawa w państwie

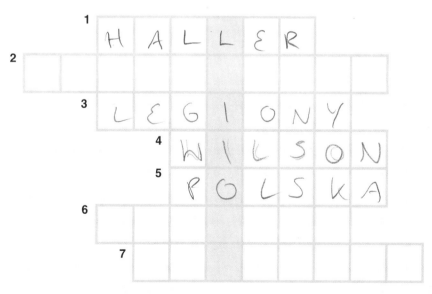

1. H A L L E R
3. L E G I O N Y
4. W I L S O N
5. P O L S K A

Odczytaj hasło z ciemniejszych kratek: ....

4. Korzystając z treści rozdziału, napisz krótki list (6 zdań) od przedstawiciela emigracji w Ameryce do aresztowanego w Polsce legionisty.

....

....

....

....

....

....

....

....

....

5. Przywódcy polscy w okresie I wojny światowej prowadzili różne działania, którym przyświecał jeden cel – odzyskanie niepodległości i odbudowa państwa polskiego. Na podstawie rozdziału 8 spróbuj wypisać cechy charakteru, jakimi musieli odznaczać się polscy liderzy.

....

....

....

....

....

....

6. Uzupełnij wykres.

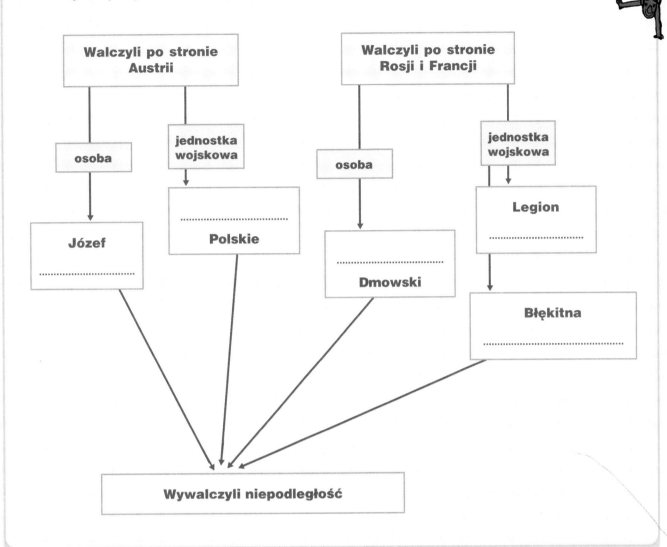

| Walczyli po stronie Austrii |
| Walczyli po stronie Rosji i Francji |

osoba

jednostka wojskowa

Józef
....

....
Polskie

osoba

....
Dmowski

jednostka wojskowa

Legion
....

Błękitna
....

Wywalczyli niepodległość

7. Połącz strzałkami postacie z odpowiednią formacją wojskową.

Józef Piłsudski	Legiony Polskie
Roman Dmowski	Legion Puławski
Ignacy Paderewski	Błękitna Armia
Józef Haller	Pierwsza Brygada

Tym razem wygramy! – Nowa epoka powstań

Powstanie wielkopolskie

W listopadzie 1918 roku w Warszawie czy Krakowie nie było żadnych wątpliwości – obywatele po prostu wiedzieli, że „będzie Polska". Jednak w wielu innych dużych miastach takiej pewności brakowało. Z Poznania, Gdańska czy Katowic Niemcy nie zamierzali się wycofywać. Co gorsza, nasilali nawet prześladowania Polaków. Ale kiedy przez Poznań przejeżdżał Ignacy Paderewski, Polacy wszczęli wielką demonstrację ku jego czci. Niemcy chcieli ją rozpędzić, padły pierwsze strzały. W ten sposób wybuchło **powstanie wielkopolskie (1918)**, które rozpoczęło się więc jak większość polskich powstań – nagle i bez planu, ale to nie znaczy, że nie było przygotowane. Poznaniacy wykonali przedtem solidną pracę. Tu, w zaborze pruskim łatwiej było zdobyć broń, pieniądze, zorganizować wszystko, co służy wojsku. Solidne przygotowania sprawiły, że po tygodniu krwawych walk Wielkopolska była wolna.

Ale to wcale nie był koniec powstania. Niemcy organizowali liczną i dobrze uzbrojoną armię złożoną z żołnierzy, którzy przez 4 lata walczyli z armiami Francji, Anglii i Stanów Zjednoczonych. Czy Polacy mieli jakieś szanse? Okazało się, że tak. Lata wspólnej walki o język i o ziemię sprawiły, że Wielkopolanie nie kłócili się, umieli się zorganizować i skutecznie walczyć. Wreszcie Francuzi i Brytyjczycy, którzy właśnie dyktowali warunki pokoju pokonanym w I wojnie światowej Niemcom zażądali od nich przerwania walk w Wielkopolsce. W połowie lutego 1919 roku Wielkopolska mogła odetchnąć. Premier Paderewski miał doskonały argument na konferencji pokojowej. Brzmiał on: Wielkopolskę mamy i nie oddamy jej.

Powstańcy wielkopolscy przed hotelem „Bazar" w Poznaniu, mal. Leon Wróblewski. Poznań zdobyli Polacy służący wcześniej w armii niemieckiej, stąd niemieckie mundury.

Uparty i dzielny Śląsk

W gorszej sytuacji był Śląsk. Mieszkało tam bardzo wielu Polaków, ale też wielu Niemców. Przed

Zaprzysiężenie 1 Pułku Strzelców Wielkopolskich. Żadne z polskich powstań nie miało tak dobrze uzbrojonej i umundurowanej armii, jak wielkopolskie. Było to zasługą wieloletniej pracy Poznaniaków.

rozbiorami nie należał do Polski, a odpadł od niej jeszcze w czasie rozbicia dzielnicowego. Dlatego zwycięskie mocarstwa zadecydowały, że odbędzie się tam głosowanie ludności, czyli **plebiscyt**. Do Polski miały należeć te gminy, które w głosowaniu tak właśnie by zadecydowały. Podobny plebiscyt przeprowadzono na Mazurach, gdzie jednak Niemcy skutecznie zastraszyli polską ludność. Podobnie chcieli uczynić i na Śląsku, ale wtedy Ślązacy chwycili za broń. Pierwsze powstanie, w 1919 roku, skończyło się klęską, ale rok później wybuchło drugie. Jego rezultatem było powołanie specjalnej policji, która miała pilnować demokratycznego przebiegu głosowania. Kiedy podliczono wyniki plebiscytu okazało się, że ponad 40% ludności opowiedziało się za Polską. Niemcy chcieli jednak zatrzymać całość Śląska wbrew wynikom głosowania. Wtedy (**w 1921 roku**) wybuchło trzecie, zwycięskie powstanie. Dzięki niemu **Śląsk został podzielony** niemal dokładnie według rezultatów głosowania.

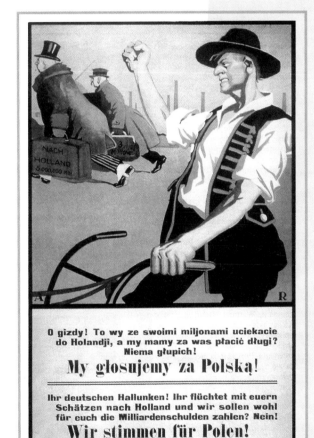

O gizdy! To wy ze swoimi miljonami uciekacie do Holandji, a my mamy za was płacić długi? Niema głupich!

My głosujemy za Polską!

Ihr deutschen Hallunken! Ihr flüchtet mit euern Schätzen nach Holland und wir sollen wohl für euch die Milliardenschulden zahlen? Nein!

Wir stimmen für Polen!

Polski plakat plebiscytowy zwracał uwagę na ucieczkę cesarza i niemieckiego rządu do Holandii po I wojnie światowej.

Wojciech Korfanty – polityk, jeden z przywódców powstania wielkopolskiego, później dowodził dwoma ostatnimi powstaniami śląskimi.

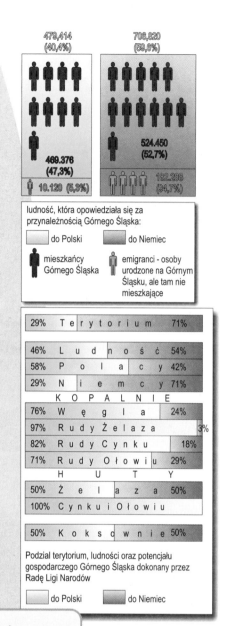

479,414
(40,4%)

708,820
(59,6%)

524.450
(52,7%)

469.376
(47,3%)

10.120 (5,3%)

182.288 (94,7%)

ludność, która opowiedziała się za
przynależnością Górnego Śląska:

☐ do Polski   ☐ do Niemiec

👤 mieszkańcy
Górnego Śląska

👤 emigranci - osoby
urodzone na Górnym
Śląsku, ale tam nie
mieszkające

29%	Terytorium	71%
46%	Ludność	54%
58%	Polacy	42%
29%	Niemcy	71%

KOPALNIE

76%	Węgla	24%
97%	Rudy Żelaza	3%
82%	Rudy Cynku	18%
71%	Rudy Ołowiu	29%

HUTY

50%	Żelaza	50%
100%	Cynku i Ołowiu	
50%	Koksownie	50%

Podział terytorium, ludności oraz potencjału
gospodarczego Górnego Śląska dokonany przez
Radę Ligi Narodów

☐ do Polski   ☐ do Niemiec

Wykres przedstawiający wyniki głosowania w plebiscycie na Śląsku w 1921 roku oraz podział terytorium, ludności i potencjału gospodarczego między Polską i Niemcami.

„Będziem bronić choć kułakiem i nie damy Lwowa" – Orlęta Lwowskie

Nie tylko Wielkopolska, Śląsk i Pomorze były terenem zbrojnych konfliktów. Jeszcze państwo polskie na dobre nie powstało, a tymczasem we Lwowie wybuchły walki z Ukraińcami. Sytuacja na terenach wschodnich bardzo się bowiem zmieniła od czasu rozbiorów. Każdy z narodów dawnej Rzeczypospolitej chciał mieć własny kraj. Nie było więc powrotu do granic sprzed rozbiorów. Ale jak miały one teraz przebiegać? Najtrudniejsza była sytuacja w **Galicji Wschodniej**, czyli dawnej Rusi Czerwonej. Jej miasta były zamieszkane przez Polaków, wsie w większości przez Ukraińców. Trudno było te ziemie sprawiedliwie podzielić, a obydwie strony chciały wziąć wszystko! Już 1 listopada 1918 roku dobrze uzbrojone wojska ukraińskie próbowały zająć stolicę Galicji Wschodniej – **Lwów**. Polacy stawili zdecydowany opór. Gdy brakowało żołnierzy, walczyli uczniowie gimnazjów, chłopcy w wieku od 12 do 17 lat. Brakowało im broni i amunicji, nie brakło natomiast odwagi. Nazywano ich „**orlętami**" – dzielni jak młode orły bronili swojego ukochanego miasta aż do nadejścia polskiej odsieczy w styczniu 1919 roku. Tak wspominał to świadek wydarzeń:

Na ulicy Słowackiego trwała szczególnie zacięta bitwa. Paląca się poczta ziała ogniem karabinowym. W rozwalonej bramie klęczał na ziemi kilkunastoletni chłopiec i ustawicznie strzelał. Z tyłu ktoś podawał mu świeżo nabite karabiny... Po chwili strzelający chłopiec zachwiał się, wypuścił z dłoni karabin, upadł na wznak. Natychmiast obok niego wyłoniła się inna, tak drobna jak tamta, postać, której znowu ktoś podawał nabite karabiny. Oparty o martwe ciało kolegi – strzelał. […]
Za sobą usłyszałem płacz. Boże, Boże! Dzieci...

„Przekrój", numer specjalny w 1989 r.

Wzruszającą pieśń, oddającą klimat tamtych dni napisał poeta Artur Oppman (Or-Ot):

Orlątko
O mamo, otrzyj oczy
Z uśmiechem do mnie mów,
Ta krew, co z piersi broczy –
Ta krew – to za nasz Lwów!...
Ja biłem się tak samo
Jak starsi – mamo, chwal!...
Tylko mi Ciebie, mamo,
Tylko mi Polski żal!...
Z prawdziwym karabinem

U pierwszych stałem czat...
O, nie płacz nad twym synem,
Co za Ojczyznę padł!...
Z krwawą na piersi plamą
Odchodzę dumny w dal...
Tylko mi Ciebie, mamo,
Tylko mi Polski żal...
Mamo, czy jesteś ze mną?
Nie słyszę Twoich słów –
W oczach mi trochę ciemno...
Obroniliśmy Lwów!
Zostaniesz biedna sama...
Baczność! Za Lwów! Cel! Pal!
Tylko mi Ciebie, mamo,
Tylko mi Polski żal!...

(listopad 1918)

Ideologią bolszewików był komunizm. Lenin i jego zwolennicy dążyli do narzucenia komunizmu całej Europie.

Wojna z Ukraińcami ciągnęła się jeszcze prawie pół roku. W międzyczasie Czesi zaatakowali Śląsk Cieszyński i odebrali Polakom Zaolzie. W 1920 roku Ukraińcy zmienili zdanie – stanęli po polskiej stronie. Razem z Polakami bronili Lwowa, a nawet walczyli w obronie Polski. Skąd ta nagła zmiana u naszych najbliższych sąsiadów? Ze wschodu nadchodziło nowe zagrożenie.

Jak Polacy uratowali Europę, czyli zatrzymanie bolszewickiej nawały

Po rewolucji w Rosji w 1917 roku władzę uzyskali bolszewicy. Chcieli rozszerzyć rewolucję na cały świat. Głosili piękne hasła – sprawiedliwość, fabryki dla robotników, równość, prawo narodów do decydowania o sobie. W rzeczywistości jednak były to puste, kłamliwe słowa. Równość polegała na obrabowaniu wszystkich, którzy coś posiadali, sprawiedliwość oznaczała prawo do strzelania bez sądu do „wrogów rewolucji", czy odbierania fabryk ich właścicielom. Majątku tego nie oddano robotnikom, zagarnął go rząd. Bolszewicy zapewniali narodom Rosji prawo decydowania o sobie, ale w praktyce oznaczało ono wcielenie do Rosji Sowieckiej. Takie

Józef Piłsudski i przywódca ukraiński Symon Petlura. W 1919 wrogowie, w 1920 roku sprzymierzeńcy w walce z bolszewikami.

NAM TWIERDZĄ
BĘDZIE
KAŻDY PRÓG

Polski plakat z 1920 roku. Do jakiej pieśni się odwołuje? Kto miał bronić państwa?

„szczęście" zamierzali przynieść Europie, a potem i światu. Była to realna groźba, bo rewolucja mogła lada moment wybuchnąć w Niemczech, gdzie mieszkańcy byli bardzo niezadowoleni z przegranej wojny. Ale między Niemcami a Rosją leżała Polska. Było więc oczywiste, że w swoim marszu na zachód będą ją chcieli zająć bolszewicy. Nie było już ucieczki przed wojną polsko-bolszewicką. Początkowo toczyła się ona na granicach i Polacy odnosili w niej sukcesy. Zajęli Wilno, pomogli Łotyszom odzyskać Dyneburg, a nawet razem z Ukraińcami wkroczyli do Kijowa. Ale kiedy bolszewicy uporali się z własną wojną domową, ruszyli wszystkimi siłami na Polskę. Mieli zdecydowaną przewagę w ludziach i parli na zachód jak lawina. W sierpniu 1920 roku byli już blisko Warszawy, a na południu próbowali zająć Lwów. Wszystko wydawało się stracone, z Warszawy wyjeżdżali już ambasadorzy innych krajów. Wtedy Polacy zdobyli się na najwyższy wysiłek. Na ochotnika do wojska zgłaszali się prawie wszyscy, którzy mogli udźwignąć broń. Naczelnik Państwa Józef Piłsudski przygotował plan bitwy, która rozegrała się w połowie sierpnia 1920 roku. Nazywana bywa czasem **cudem nad Wisłą**. Jak napisał brytyjski historyk wojskowości:

Współczesna historia cywilizacji zna mało wydarzeń, posiadających znaczenie większe od bitwy pod Warszawą w roku 1920. Nie zna zaś ani jednego, które by było mniej doceniane...

W wielu sytuacjach historycznych Polska była przedmurzem Europy przeciw inwazji azjatyckiej. W żadnym atoli momencie zasługi,

Marszałek Józef Piłsudski na Kasztance, obraz Wojciecha Kossaka. Klacz Kasztanka była ulubionym koniem marszałka (Muzeum Narodowe w Warszawie).

*położone przez Polskę, nie były większe, w żadnym momencie niebezpieczeństwo
nie było groźniejsze.*

*Zwycięstwo osiągnięte zostało przede wszystkim dzięki strategicznemu geniuszowi
jednego człowieka i dzięki przeprowadzeniu przez niego akcji tak niebezpiecznej,
że wymagała ona nie tylko talentu, ale i bohaterstwa."*

E.V. D. Abernon, *Osiemnasta decydująca bitwa w dziejach świata*, Warszawa 1932

*W wojnie z bolszewikami wspierali Polaków nie tylko Ukraińcy,
ale także ci Rosjanie, którzy nie zgadzali się z władzą bolszewików.
Niemało było też ochotników ze Stanów Zjednoczonych, Francji
i Belgii.*

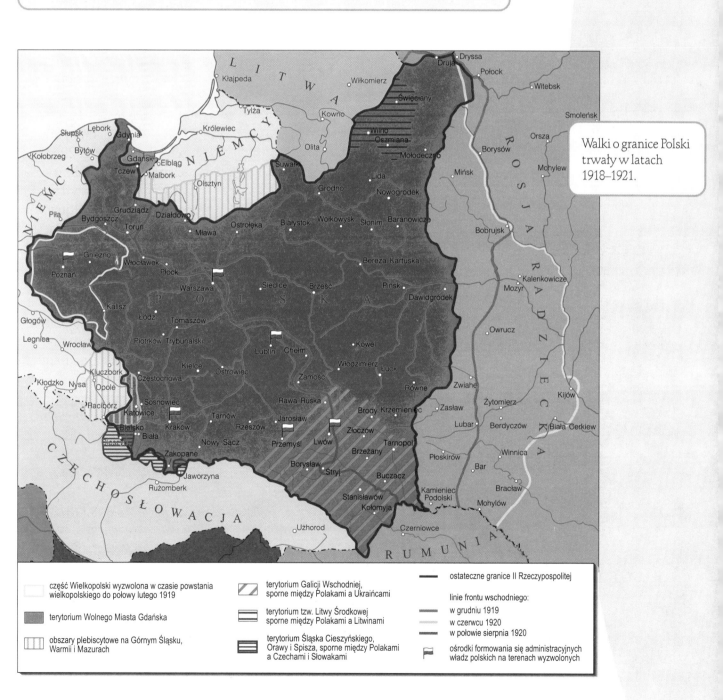

Walki o granice Polski
trwały w latach
1918–1921.

część Wielkopolski wyzwolona w czasie powstania wielkopolskiego do połowy lutego 1919

terytorium Wolnego Miasta Gdańska

obszary plebiscytowe na Górnym Śląsku, Warmii i Mazurach

terytorium Galicji Wschodniej, sporne między Polakami a Ukraińcami

terytorium tzw. Litwy Środkowej sporne między Polakami a Litwinami

terytorium Śląska Cieszyńskiego, Orawy i Spisza, sporne między Polakami a Czechami i Słowakami

ostateczne granice II Rzeczypospolitej

linie frontu wschodniego:
w grudniu 1919
w czerwcu 1920
w połowie sierpnia 1920

ośrodki formowania się administracyjnych władz polskich na terenach wyzwolonych

Krzyż Obrońców
Kresów Wschodnich.
Polacy zamieszkujący
Kresy jako pierwsi
podjęli walkę
z bolszewikami.

W czasie wojny z bolszewikami ogromne znaczenie miało lotnictwo. Dzięki niemu Piłsudski zawsze dokładnie wiedział, gdzie jest przeciwnik. Oprócz Polaków w lotnictwie polskim latało wielu Amerykanów (w 7. Eskadrze Myśliwskiej „Kościuszkowskiej") oraz Belgów i Francuzów.

Wielką rolę odegrała w bitwie warszawskiej armia generała Hallera, która wróciła z Francji. Było w niej wielu Polaków ze Stanów Zjednoczonych, Kanady i Brazylii. Część z nich wróciła za Ocean, część została w kraju. W ten sposób spełnił się sen emigrantów z 1831 roku o powrocie do kraju z bronią w ręku. Zrobiły to jednak dopiero ich wnuki.

Obraz *Bitwa pod
Komarowem*, mal. Jerzy
Kossak. Polscy ułani
gonią bolszewików.
Bitwa pod Komarowem
była największą bitwą
z udziałem kawalerii
XX wieku (Muzeum
Wojska Polskiego
w Warszawie).

Polskie zwycięstwo w tej bitwie zadecydowało o losach Europy na 20 lat. Bolszewicy zostali rozbici i odrzuceni daleko w głąb Białorusi i Ukrainy. Polakom udało się odzyskać Wilno, o które toczyli spory z Litwinami. W marcu 1921 roku podpisano pokój z Rosją. Rok później ostatecznie wyjaśniono sprawę Śląska. Granice II Rzeczpospolitej zostały ustalone. Teraz trzeba było zbudować nowe, silne państwo.

Politechnika Lwowska była jedną z najlepszych uczelni technicznych w odrodzonej Polsce.

Polacy wspólnym wysiłkiem, korzystając z wyjątkowo dobrej sytuacji międzynarodowej, odbudowali państwo w latach 1918–1921. Nie obyło się przy tym bez walk z wszystkimi sąsiadami oraz powstań – wielkopolskiego i trzech śląskich.

SŁOWNICZEK

argument (*argument*) – dowód, który ma przekonać

baczność! (*attention!*) – komenda w wojsku wymagająca przyjęcia postawy wyprostowanej

bolszewik (*Bolshevik*) – rosyjski zwolennik Lenina i komunizmu

broczyć (*to flow*) – wolno cieknąć

czata (*watch*) – straż

dyktować (*to dictate*) – nakazać coś, zmusić do czegoś

gmina (*district*) – tu: najmniejsza jednostka terytorium, wieś

inwazja (*invasion*) – atak na jakieś państwo

kułak (*fist*) – tu: zaciśnięta pięść

martwe ciało (*body, corpse*) – ciało zabitego

odsiecz (*relief*) – pomoc wojskowa

orlątko (*eaglet*) – młody orzeł

prześladowania (*oppression, persecution*) – krzywdy wyrządzane grupie ludności lub narodowi

rozwalony (*smashed*) – rozbity, zniszczony

Sowiecka Rosja (*Soviet Russia*) – nazwa Rosji opanowanej przez Lenina i bolszewików, zanim zmieniono jej nazwę na Związek Sowiecki (Soviet Union)

upaść na wznak (*to fall on one's back*) – upaść na plecy

wątpliwości (*doubts*) – wahania

wojna domowa (*civil war*) – wojna wewnętrzna między członkami tego samego narodu

wycofać (*to withdraw*) – zabrać wojska z powrotem

wyłonić się (*to emerge*) – nagle stać się widocznym, np. wyjść z cienia

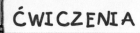

ĆWICZENIA

1. Skorzystaj z mapy ziem polskich w latach 1918–1921. Na mapie konturowej zaznacz:

a) **teren, na którym toczyły się walki z bolszewikami,**
b) **teren na którym toczyły się walki z Ukraińcami,**
c) **tereny, na których walczono z Niemcami.**
Następnie wypisz nazwy dużych polskich miast, które znalazły się w obszarze walk:

....

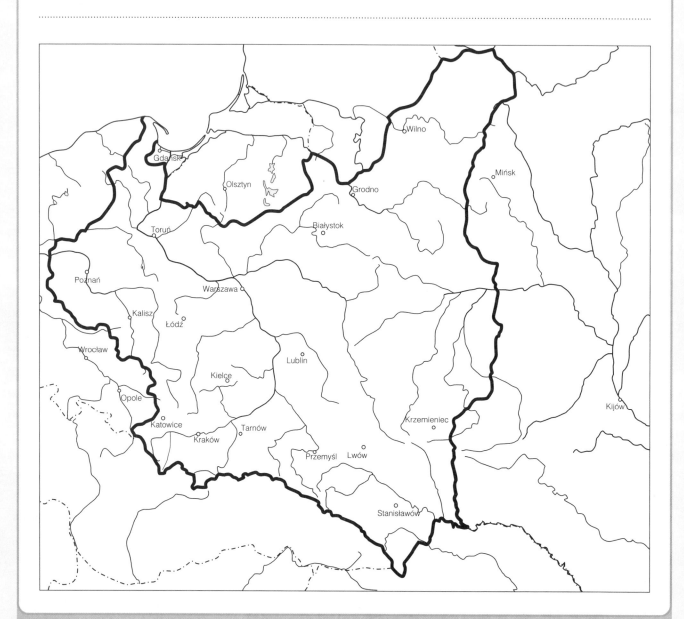

2. Odszukaj na mapie granicę, o którą Polska nie musiała walczyć zbrojnie. Była to granica z:

....

3. Rozwiąż krzyżówkę, a otrzymasz w haśle nazwę miasta, o które spierali się Polacy nie tylko z bolszewikami, ale i Litwinami.

1. Imię Korfantego
2. Region, w którym wybuchło dobrze przygotowane, zwycięskie powstanie przeciw Niemcom
3. Trzeba było trzech powstań, by udowodnić polskość tych ziem
4. Imię Paderewskiego
5. Część Śląska Cieszyńskiego, zabrana Polsce przez Czechy

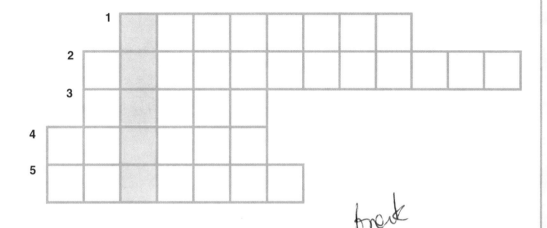

Odczytaj hasło z ciemniejszych kratek: ....

4. Zagraj z przyjaciółmi lub kolegami w krótką grę. Potrzebna będzie kostka i tyle pionków, ilu graczy. Do mety dojść trzeba najwyżej w 20 kolejkach. Na graczy oczekują liczne niebezpieczeństwa, ale też szanse i korzystne zdarzenia. Zaznaczono je numerowanymi polami.

1) Stajesz po stronie Austro-Węgier, od tej pory poruszasz się w prawą stronę.

2) Stajesz po stronie koalicji, od tej pory poruszasz się w lewo.

3) Dostajesz się do więzienia, musisz zatrzymać się na dwie kolejki. Potem jednak możesz trzy razy rzucić kostką, bo Twój autorytet w społeczeństwie wzrósł.

4) Wojna o granicę z Rosją Sowiecką. Rzucasz kostką – jeśli wyrzucisz 1, 3 lub 5 przegrałeś (przegrałaś). Jeżeli wyrzuciłeś (wyrzuciłaś) inną liczbę odnosisz zwycięstwo – poruszasz się dalej.

5) Masz kłopoty dyplomatyczne – czekasz jedną kolejkę.

6) Wojna z Ukrainą. Rzucasz kostką. Jeżeli wyrzucisz 6, Twoje zwycięstwo jest niepełne – tracisz Lwów.

7) Udane powstania przeciw Niemcom. Kończysz natychmiast grę sukcesem.

ĆWICZENIA

5. Wypisz z tekstu podręcznika (rozdziały 8 i 9) nazwiska tych Polaków, którzy potrafili najwięcej uzyskać dla Polski bez walki, przy stole konferencyjnym.

....

....

....

....

6. Przeciwnikom Polski przyporządkuj cele wojenne, które chcieli zrealizować.

	zlikwidować Polskę
Ukraina	odebrać Polsce Wielkopolskę, Pomorze Gdańskie i Śląsk
Niemcy	wywołać światową rewolucję
Sowiecka Rosja (bolszewicy)	pozbawić Polskę Galicji Wschodniej i Lwowa
Czesi	pozbawić Polskę Zaolzia na Śląsku Cieszyńskim
Litwini	pozbawić Polskę ziem białoruskich
	pozbawić Polskę Wilna

7. Ułóż rozsypankę, a otrzymasz:

a) imię i nazwisko człowieka, który poprowadził Polskę do niepodległości,

sud Jó Pił ski zef

Józef Piłsudzki

b) imię i nazwisko człowieka, który doprowadził do odzyskania Śląska i Wielkopolski,

fanty ciech Kor Woj

Wojciech Korfanty

c) imię i nazwisko człowieka, który był wybitnym przedstawicielem Polonii, zdobył dla Polski uznanie międzynarodowe oraz pomógł uzyskać zachodnią granicę.

Pa cy Igna rewski de

Ignacy Paderewski

8. Uzupełnij tekst, korzystając z wyrazów: ~~cud nad Wisłą~~, *Lwów*, ~~państwa~~, ~~bolszewicy~~, ~~Wielkopolskę~~, ~~niepodległość~~, *Śląsk*, ~~rewolucję~~, ~~granice~~, *Zaolzie*, *Wilno*.

W 1918 roku Polska odzyskała *niepodległość* . Jednak zanim Polacy

przystąpili do budowy własnego *państwa* musieli stoczyć walkę o jego

granice . Najwięcej kłopotów sprawiali Niemcy, z którymi trzeba było

prowadzić walki o *Wielkopolskę* i .... Z Ukraińcami

spierano się o ...., z Czechami o ....,

a Litwini nie mogli pogodzić się, że .... należało do Polski.

Największe niebezpieczeństwo dla młodego państwa polskiego stanowili

bolszewicy . Ich wojska parły na zachód, aby wywołać w Europie

rewolucję . Zostały pokonane pod Warszawą w 1920 roku, gdzie

wydarzył się *cud nad wisłą* . *fnek*

Niepodległa II Rzeczpospolita

Od Karpat do Bałtyku, od Wilna do Katowic

Sytuacja II Rzeczpospolitej była bardzo trudna. Państwo miało wyjątkowo długą granicę, która tylko w kilku miejscach biegła wzdłuż rzek czy gór. Szczególnie długie były granice z wrogo nastawionymi do Polski Niemcami i Rosją Sowiecką (Związkiem Sowieckim). Jedynym przyjaznym sąsiadem była Rumunia, zaś dostęp do morza miała Polska niewielki. Do tego dochodziły ogromne kłopoty finansowe i gospodarcze. Trzy obszary odbudowanego państwa działały wcześniej w różnych systemach gospodarczych i nie tworzyły razem jednego organizmu.

W granicach II Rzeczypospolitej znalazły się ziemie stanowiące części trzech dawnych zaborów. Największy obszar pod względem ludności i terytorium stanowiły dawne ziemie zaboru rosyjskiego. Najmniejszy – ziemie zaboru pruskiego, ale były one najlepiej zagospodarowane. Ziemie dawnego zaboru austriackiego były najbiedniejsze, ale za to ich mieszkańców cechowała bardzo patriotyczna i obywatelska postawa.

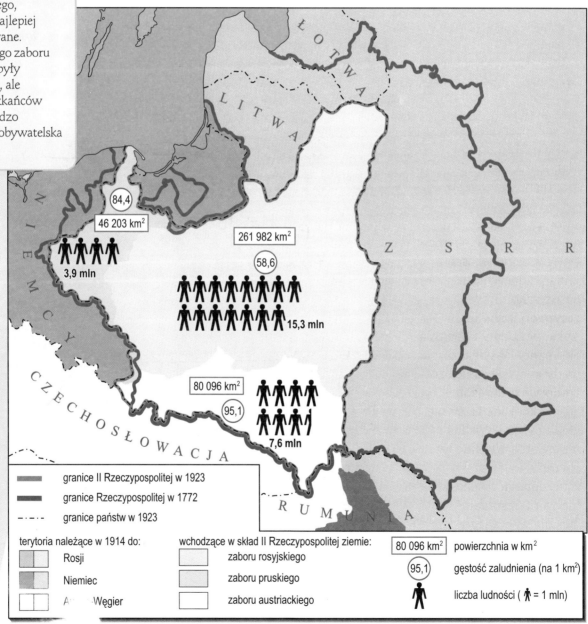

W dodatku zaborcy, wycofując się zniszczyli lub wywieźli, co się dało. Wschodnia część Rzeczypospolitej, zwana czasem „Polską B" była bardzo zaniedbana przez zaborców. Trzeba tam było zakładać wodociągi i elektryczność.

Z czasów I wojny światowej pozostała waluta, zwana marką polską. Bardzo szybko traciła na wartości. W dodatku kraj wyniszczały dalsze wojny, epidemia tyfusu i cholery.

Jak zbudować wspólny dom dla tylu narodów?

W granicach II Rzeczypospolitej znalazło się około 24 milionów ludzi. Jednak tylko 2/3 z nich uważało się za Polaków. Resztę stanowili Ukraińcy, Białorusini, Żydzi, Niemcy i Litwini. Mniejszości te miały zapewnione własne szkolnictwo i prawo do używania języka, posiadały też prawa polityczne. W większości przedstawiciele mniejszości narodowych uważali państwo polskie za swoje. Jednak były niewielkie grupy wśród Ukraińców i Niemców wrogo nastawione do Polaków i nie zainteresowane pracą dla wspólnego dobra. Pomimo ich działań władzom II Rzeczypospolitej udało się zbudować jedno wspólne i sprawnie działające

Niektóre tereny w Polsce były dobrze zagospodarowane. Prace polowe w majątku w okolicach Tarnowa.

Rynek w Zaleszczykach. Typowe miasteczko z Kresów wschodnich, gdzie ludność polska była często w mniejszości.

Huculi to inaczej górale zamieszkujący góry nazywane Karpatami Wschodnimi. Zwróć uwagę na ich regionalne stroje oraz charakterystyczne dla ich stylu zabudowania.

Szkoła żydowska
w II Rzeczypospolitej.
Żydzi stanowili 10 %
wszystkich mieszkańców
II Rzeczypospolitej. Byli
mniejszością bardzo
dobrze zorganizowaną.
Mieszkali głównie
w dużych i średnich
miastach.

Chór ukraiński. Mniejszości narodowe miały prawo do dość swobodnego rozwijania swych cech narodowych i pielęgnowania tradycji.

państwo zamieszkiwane przez kilka narodów. W ten sposób Polacy jeszcze raz nawiązali do wspaniałych tradycji Rzeczypospolitej Obojga Narodów, w której w zgodzie i tolerancji żyli przedstawiciele wielu narodów i różnych religii.

Konstytucja Marcowa 1921 roku

Ozdobna karta
Konstytucji z 1921 roku.

Konstytucję dla nowo powstałego państwa polskiego uchwalono **17 marca 1921 roku**, dlatego zwano ją marcową. Stwierdzała ona, że władza w Polsce należy do Narodu, władzę ustawodawczą stanowią Sejm i Senat, władzę wykonawczą sprawuje prezydent i rząd, a sądowniczą – niezawisłe sądy. Obywatele posiadali

Otwarcie obrad Sejmu w 1922 roku, pierwszego, wybranego po uchwaleniu konstytucji.

pełnię praw, zwanych dziś prawami człowieka. Konstytucja miała jednak liczne wady. Sposób liczenia głosów po wyborach był taki, że dopuszczał do sejmu nawet małe partie, a zwycięskim nie zapewniał samodzielnych rządów. Sejm zaś miał władzę ogromną, zabierając wiele uprawnień, które w innych krajach należały do premiera lub prezydenta. Ponieważ zasiadało w sejmie bardzo wiele partii, ten najważniejszy w państwie demokratyczny organ władzy był ogromnie skłócony wewnętrznie. Powodowało to często paraliż działania państwa. Tak było w przypadku wyboru pierwszego prezydenta (wybierały go razem sejm i senat). Po długich targach wybrano **Gabriela Narutowicza** (9 grudnia 1922 roku), który jednak wkrótce zginął w zamachu. Ponowne wybory przyniosły zwycięstwo Stanisława Wojciechowskiego.

Gabriel Narutowicz, pierwszy prezydent Rzeczypospolitej Polskiej, mal. Czesław Dobiszewski (Muzeum Narodowe w Warszawie).

Na skraju gospodarczej katastrofy

Kłopoty gospodarcze stale dawały znać o sobie. Wyniszczony kraj, ze skłóconym sejmem i mało sprawnymi rządami, w dodatku zmieniającymi się kilka razy w ciągu roku stanął na skraju katastrofy gospodarczej. Pojawiła się **hiperinflacja** – czyli sytuacja, w której pieniądz traci bardzo szybko na wartości. Zdarzało się, że pensja, za którą można było utrzymać się przez cały miesiąc, wieczorem tego samego dnia stawała się warta tyle, co pudełko zapałek. Zresztą wystarczy zajrzeć do pamiętników żyjących wówczas Polaków:

31 stycznia [1923 r.]
Marka [polska waluta] spada bezustannie, przy czym zgodnie z prawem fizycznym upadek ten nabiera coraz większej szybkości: za dolara płaciliśmy przed tygodniem 28 750 marek, dzisiaj 35 625, czyli że w przeciągu 7 dni nasz pieniądz państwowy stracił 24% swej wartości.

Przy takich warunkach ustaje wszelka gospodarcza kalkulacja i następuje zanik wszelkich oszczędności. Spowodowany spadkiem marki rozrost obrotów daje złudzenie wzrastającej zamożności, podczas kiedy w rzeczywistości mamy szybko postępujące zubożenie i zupełny zanik kapitałów bankowych, gromadzonych przez długie lata pracy i oszczędności szerokich warstw narodu [...]

Podpis pod tą ilustracją przedstawiającą symboliczną Matkę-Polskę brzmiał: „Śmierć jednego człowieka, a czy ja kiedykolwiek zmyję hańbę?". Ilustracja ta pokazała się zaraz po zamordowaniu prezydenta Narutowicza. Jak oceniano ten czyn?

Portret Stanisława Wojciechowskiego, drugiego prezydenta Rzeczypospolitej namalowany przez Kazimierza Markiewicza (Muzeum Narodowe w Krakowie).

16 grudnia
Za dolara płacimy 5,5 miliona marek, wobec 40 tysięcy przed 9 miesiącami i 17 tysięcy przed rokiem. Dorożka kosztuje dziś 250 tys. marek, tramwaj 50, bułka 17, jajko 80 tys. marek [...]

S. Karpiński, *Pamiętnik dziesięciolecia 1915–1924, Warszawa 1931*

Kiedy Władysław Grabski zlikwidował ostatecznie markę polską, sprzedano niepotrzebne już banknoty markowe na makulaturę. Załadowano nimi kilka dużych pociągów.

W takiej sytuacji nic nie opłacało się produkować ani sprzedawać. Wtedy sejm zdobył się na skuteczne działanie. Premierem mianowano **Władysława Grabskiego**, a w skład rządu weszli fachowcy, a nie politycy. Rząd ten uporał

Władysław Grabski był jednym z najwybitniejszych polskich ekonomistów.

Polacy wsparli reformę walutową, wykupując tzw. pożyczkę państwową, co pozwoliło uspokoić rynek waluty.

się z inflacją i zmienił walutę. Wówczas pojawił się nowy pieniądz – polski złoty, który okazał się trwałą i dobrą walutą. Zwykle ówczesny dolar (czyli dzisiejszy razy 25) kosztował w II Rzeczypospolitej około 6 złotych.

Rządy II Rzeczypospolitej podjęły wiele innych działań, które miały naprawić gospodarkę. Zbudowano sieć kolejową, postawiono nowe fabryki, rozpoczęto budowę **portu w Gdyni**, pierwszego polskiego portu na miarę XX wieku. W połowie lat dwudziestych Polska miała już swoje linie lotnicze (był to wskaźnik nowoczesności państwa) i własną flotę wielkich transatlantyków.

Powoli Polska stawała się coraz zamożniejszym krajem, a ponieważ była jednym z większych państw Europy Środkowej, nabierała coraz większego znaczenia międzynarodowego. Dzięki wysiłkowi wielu ludzi ostatecznie udało się pokonać trudności gospodarcze i umocnić odzyskane po latach niewoli państwo.

Pierwsze polskie transatlantyki pływały z Gdyni i Gdańska do Nowego Jorku. Nazywały się „Kościuszko" i „Pułaski". Czy wiesz dlaczego?

Marki polskie, banknoty z czasów inflacji. Zwróć uwagę na ich wysokie nominały – 5 i 10 milionów marek.

Efektem starań Władysława Grabskiego było powołanie Banku Polskiego, który emitował nową walutę, złotego polskiego. Na ilustracji banknoty o nominale 50 i 500 złotych. Czy rozpoznajesz postać przedstawioną na banknocie o wartości 500 złotych?

Gdynia

Nabrzeże portu w Gdyni. Port w Gdyni został zbudowany w małej rybackiej wiosce i stał się jednym z najbardziej nowoczesnych na świecie przed II wojną światową.

SŁOWNICZEK

bezustannie (*incessantly*) – ciągle

cholera – choroba zakaźna, najczęściej śmiertelna

epidemia (*epidemic*) – szybki wzrost ilości zachorowań

fanatyk (*fanatic*) – ktoś, kto ślepo czemuś wierzy i jest gotów popełnić najgorsze uczynki

hiperinflacja (*hyperinflation*) – inflacja tak szybka, że zmiany są zauważalne w ciągu jednego dnia.

irytować się (*to be irritated*) – złościć się, denerwować

kalkulacja (*calculation*) – wyliczenie, obliczenie

mniejszość (*minority*) – grupa, która czymś się wyróżnia, a nie tak liczna jak reszta społeczeństwa

oszczędności (*savings*) – pieniądze gromadzone na później

paraliż (*paralysis*) – niemożność wykonania ruchu

pensja (*pay, salary*) – wynagrodzenie za pracę

transatlantyk (*transatlantic liner*) – duży statek pasażerski, przewożący ludzi przez Atlantyk

tyfus (*typhus, typhoid*) – choroba zakaźna

uprawnienia (*rights, entitlements*) – prawa do robienia i wykonywania czegoś

waluta (*currency*) – pieniądze obowiązujące w jakimś kraju

Związek Sowiecki, Związek Radziecki (*Soviet Union*) – nazwa państwa powstałego w 1922 roku przez przyłączenie do Rosji Sowieckiej państw sąsiednich

1. Uzupełnij listę narodów mieszkających w II Rzeczypospolitej. Skorzystaj z tekstu rozdziału.

1) ....

2) Ukraińcy

3) ....

4) Żydzi

5) ....

6) Litwini

2. Skorzystaj ze zdjęć w podręczniku i wypisz charakterystyczne cechy bogatszych i uboższych części Polski, uzupełniając poniżej przedstawiony schemat. Użyj słów: *bogate miasta, zagospodarowane wsie, dobrze ubrani ludzie, biedne wsie, ludzie źle ubrani, biedne chaty.*

Bogatsza część Polski:

....

....

....

....

....

Biedniejsza część Polski:

....

....

....

....

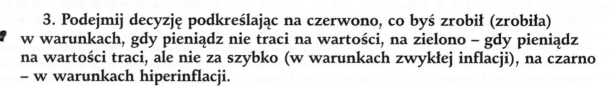

3. Podejmij decyzję podkreślając na czerwono, co byś zrobił (zrobiła) w warunkach, gdy pieniądz nie traci na wartości, na zielono – gdy pieniądz na wartości traci, ale nie za szybko (w warunkach zwykłej inflacji), na czarno – w warunkach hiperinflacji.

a) odłożyć pieniądze w banku

b) zainwestować pieniądze na giełdzie

c) zakupić jak najwięcej nie psujących się towarów

d) nic nie robić

e) zakupić obce waluty

4. Wypełnij schemat.

Władza wykonawcza	Władza ustawodawcza	Władza *Sądowniczy*
↓	↓	↓
Prezydent i Premier	*Sejm* i Senat	Niezawisłe sądy

5. Rozwiąż krzyżówkę.

1. Nowy polski port, zwany „oknem na świat"
2. Nazwisko premiera, który poradził sobie z klęską gospodarczą
3. Nazwisko zamordowanego prezydenta II Rzeczypospolitej
4. Port obok Gdyni, który był Wolnym Miastem
5. Podstępny atak na życie (spotkał jednego z polskich prezydentów)
6. Nazwa polskiej waluty po odzyskaniu niepodległości, zastąpił ją polski złoty
7. Najważniejsze stanowisko w Polsce
8. Szef rządu
9. Jedna z mniejszości narodowych mieszkających w Polsce
10. Trzeba było ją zakładać w „Polsce B"
11. Własne państwo Polaków
12. Miejsce, skąd statki wyruszają w morze
13. Wynagrodzenie za pracę
14. Inflacja tak szybka, że zmiany są zauważalne w ciągu jednego dnia

15. Uchwalona w marcu 1921 roku
16. Ciężka choroba zakaźna
17. Zjawisko wielkiej ilości zachorowań
18. Państwo graniczące z Polską na północy
19. Wyższa izba polskiego parlamentu

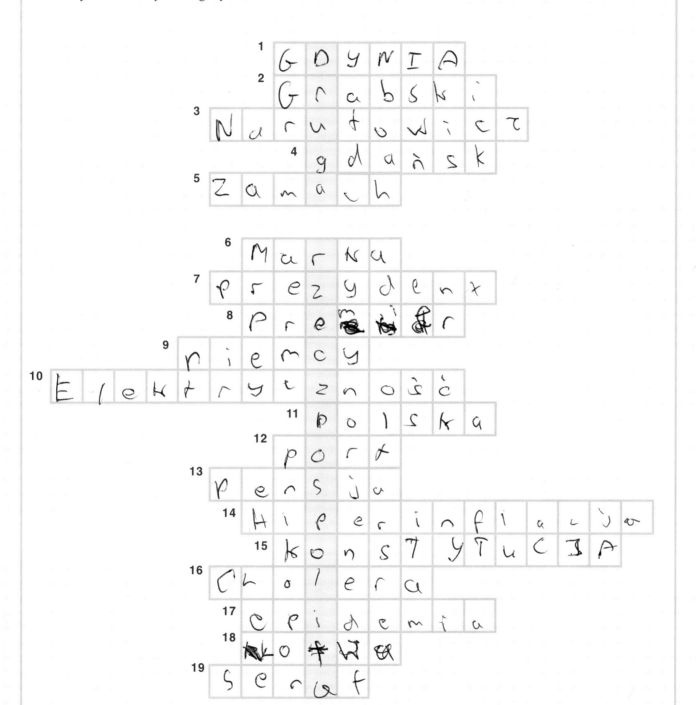

1. GDYNIA
2. Grabski
3. Narutowicz
4. gdańsk
5. Zamach
6. Marka
7. prezydent
8. Premier
9. niemcy
10. Elektryczność
11. polska
12. port
13. pensja
14. Hiperinflacja
15. konstytucja
16. Cholera
17. epidemia
18. Łotwa
19. Senat

Odczytaj hasło z ciemniejszych kratek: Druga rzeczpospolita

ĆWICZENIA

6. Korzystając z wyników poprzednich ćwiczeń, zakreśl poprawne odpowiedzi, które wyjaśniają przyczyny różnic między bogatszą a biedniejszą częścią Polski.

- Niedostateczna troska rządu o zaniedbane tereny

- Zaniedbania poczynione przez zaborców

- Zniszczenia wojenne

- Niskie wykształcenie mieszkańców

- Brak portu morskiego

- Lenistwo mieszkańców

- Ekologiczne nastawienie ludności Kresów, niechęć do nowoczesnej techniki

- Niewielkie rozmiary gospodarstw, nadmiar ludności

7. Uzupełnij tekst. Skorzystaj ze słów: *inwestycji, portu, port, pasażerskie, Nowego Jorku, miała, Gdynia, Niemcy, nowoczesny, kłopotów.*

Ponieważ Niemcy czynili trudności z korzystaniem z ....

w Gdańsku, Polska musiała wybudować własny ....

morski. Wyruszały z niego statki handlowe i .... ,

zwłaszcza te, które przez Atlantyk zdążały do ....

Polska .... własne transatlantyki. Nowo wybudowane

miasto .... nazywano „polskim oknem na świat".

Była to jedna z największych .... w dziejach

Polski. Specjaliści uznawali port w Gdyni za bardzo ....

Dzięki jego budowie Polska uniezależniła się od ....

przy korzystaniu z portu w Gdańsku, które jej czynili ....

Poczet książąt i królów polskich

w latach 1333–1574

kolor niebieski – przedstawiciel dynastii Piastów

kolor zielony – przedstawiciel dynastii Andegawenów

kolor czerwony – przedstawiciel dynastii Jagiellonów

Kazimierz III Wielki
1333–1370

Ludwik Węgierski
1370–1382

Jadwiga
1384–1399

Władysław II Jagiełło
1386–1434

Władysław III Warneńczyk
1434–1444

Kazimierz IV Jagiellończyk
1447–1492

Jan I Olbracht
1492–1501

Aleksander Jagiellończyk
1501–1506

Zygmunt I Stary
1506–1548

Zygmunt II August
1548–1572

Henryk Walezy
1573–1574